Karinna Alves Gulias
Philip Meersman
Fiona Sampson
©Ekaterina Voskresenska
JN097282
Vytautas Deksnys
©Vladas Braziūnas
Miriam Van Hee
©Michiel Hendryckx
Claudiu Komartin
Xi Chuan
Photo index
George Szirtes
Estíbaliz Espinosa
Gokçenur Çelebiouglu
Dennis O'Driscoll
Marie de Quatrebar
Natalia Litvinova
Don Mee Choi
Eran Hades
Veronika Dintinja
©Christi Dintinjan
Remco Campert
Adam Zagajewski
Emel Kaya

THE POETIC WORKS HOMO SAPIENS

ホモサピエンス詩集――四元康祐翻訳集現代詩篇

MIOTSUKUSHI

ホモサピエンス詩集

——四元康祐翻訳集現代詩篇

＊目次

装幀　倉本　修

1 レムコ・カムペルト Remco Campert オランダ

詩

美しい詩なんて好きじゃなかった
もっともその美しさが
電車のレールの上を流れてゆく光だとか
舗道の敷石の上で溶けてゆく雪のかけらみたいに
素早いものなら別だけれど
そうでなければ美しい詩なんて僕は好きじゃなかった
もっとも路面電車の停車場に立っている君を
すれ違いざまに僕がみつめた
あのときの君くらいに美しい詩なら別だけれど

(Poëzie)

レムコ・カムペルトは一九二九年生まれ、オランダの詩壇では長老格だ。だがその詩の声はいまも若々しい。さり気なく、気取りや衒いもなくて、ふっと口をついた呟きが、そのまま詩になっているような文体。それはオランダ語の詩の美しい特質のひとつなのだが、レムコの生き方そのものでもあるようだ。

レムコの名前は以前からよく耳にしていたが、実際に会ったのは今年（二〇〇八年）のロッテルダム詩祭が初めてだった。右に訳した詩の朗読を聴いて、まさにこれこそ雑誌「びーぐる」の船出にふさわしい祝辞だと思った。翻訳の許可を求めると、腰を下ろしてゆっくりと話を聞いてくれた。足どりは少し弱く、着ているものも若干くたびれていたが、それだけにいっそう眼差しと口調には精神の瑞々しさが感じられるのだった。

詩祭の途中、レムコをめぐって不思議な体験をした。ひとりの女がニコニコ近づいて来て、「久しぶりね。ところであなた、レムコがどこにいるか知ってる？　あたしの友だちが、彼に首ったけなのよ。一緒に探してくれない」と言うのだ。「友だち」の方はつまらなそうな顔をしてそばに突っ立っていた。ぼくはその女を、以前一度会ったことのある詩人だと思って、レムコ探しに出かけた。歩き始めると、女は僕の手をとって歌い踊るように「レムコー、レムコー」と叫ぶのだった。なんだか変だぞ、と思ったが、そのまま付き合った。結局その時レムコは見つからなかったし、その女はぼくが思った詩人ではなかった。未だに彼女が誰だったのか分からない。けれどレムコの名を呼びながら階段を上がったり降りたり、がらんとしたホールのなかを覗き込んだりするのは、まんざら悪い気分ではなかった。

ついでにもうひとつ、レムコの詩を訳してみよう。最初に訳した「詩」の言葉そのままに「美しい」一篇だ。

初めてのとき

初めてのとき
ぼくらは君の部屋に帰っていった
最終の市電が角を曲がって遠ざかっていった
近所のラジオがこの世のものとは思えないジャズを奏でていた
ぼくはベッドの端に腰をおろして
自分の靴と格闘していた
恥ずかしかったんだ
うまく出来るだろうか
初めてでも

初めてのとき
ぼくはカワウソみたいに汗をかいた
あんなふうにそっと、おずおず、ぎくしゃくと
自分の身体を動かしたことはなかった

ぼくらは互いの口を噛み合った
混ざり合う血の甘さ

愛と欲望
もう二度とないやり方で

初めてのとき
君は灯りを消したがった
消さないでとぼくは言った

妥協の末の薄明かりのなかで
――夜の街の明かりが
窓を通り抜けて
ぼくらの周囲に零れていた――
ぼくは見た　ぼくには見えない
測り知れないほど遠くにあるなにかを
君の目が見つめているのを

半ば開かれた君の口のなかで
死が嘲け笑っているのを

初めてのとき

終わったあとで
ぼくらは一本の煙草を吸い合った
そういうシーンを君はフランス映画で観たことがあったんだ
ぼくは胸に灰をこぼし
自分の指の匂いを嗅いだ

あのときの気持ち、
世界はぼくの眼の前に広がっていて
すべての都市が門を開け放ち
どんな海でも航海可能で
どんな山にでも登れて
道を妨げるものなどなにひとつなく
今すぐ飛び出してゆきたくてたまらないような

けれどもなにはともあれ
まずは二回目だ

(De Eerste Keer)

2

フィリップ・メアズマン　Philip Meersman

ベルギー

今号（二〇〇九年一月「びーぐる　詩の海へ」第2号）の特集がモダニズム、それもヴィジュアルポエムやコンクリートポエムを発表してきた北園克衛から藤富保男への「異端の系譜」だと聞いて、海外詩紹介の第二弾はフィリップで決まりだなと思った。なにしろ奴は生きたモダニスト、視覚的にも聴覚的にもばりばり現役の言語実験主義者なのだから。

ところがいざ原稿を書こうとしてはたと困った。以前から感心していて今回改めて取り寄せたフィリップのこの作品、どう逆立ちしたって私には翻訳不可能だ。その理由はおっつけ分かっていただけると思うが、まず簡単に詩人の横顔を紹介しておこう。

Philip Meersman、一九七一年、ベルギー北部の聖ニコラス生まれ。ゲントの大学を出た後、レストランのウェイター→支配人を経てベルギー外務省に入省！　僕が初めて会った時には中東欧におけるフラマン語文化促進のプログラムに係っていたが、いまは出世して別のことをやっているようだ。彼は詩人とは名乗らず、ポエット・パフォーマーと自称している。六才の時に自分から頼んで発声法のレッスンを始めたというのだから筋金入りだ。本人の言葉によれば「言語を日常的な次元から引き剥がし、押し歪め、意味や形態において破壊すること」で詩を「行為」するのである。と云われてもピンとこないだろうが、その舞台パフォーマンスは、我が国が世界に誇るパフォーマー、白石かずこさんをして「ああいう人を日本に連れて行きたいわねえ」と云わしめた、と云えば充分だろう。

彼は一人で各国の詩祭に出かけてゆく一方、ベルギーの仲間たちと多彩な活動を繰り広げている。そのひとつはJA!という音楽・映像・言葉の総合芸術バンド。僕も一度参加したことがあるが、舞台へのコンピュータ機材のセットアップだけでも数時間を要するという派手な代物である。テクノロジーを駆使した映像と音楽に対して、フィリップは肉声による言語を叩きつけるように繰り出してゆく。その様子を見ていると、自分がふっと時間を遡行して、ダダやシュールが盛んだった時代に迷い込んだような錯覚に陥る。僕にとっては過去の遺産であるモダニズムを、彼らは現在形で生きているのだ。

その感覚は、想像するに、ジャズの演奏家たちが過去のさまざまなスタイルを直線的な時系列に並べるのではなく、むしろ並列した島宇宙として空間的に捉えているさまに似ているのではないか。前衛とか進歩という観念から解放されて、フィリップたちは大きなクローゼットの中から、自分に一番似合う洋服を自在に選び出しているように見える。たとえそれが祖父のフロックコートであろうと、自分流に着こなすことができれば充分なのだという足どりの軽さ——あるいはそれこそがポスト・モダンの感覚なのかもしれないが。

＊

さて、「我が祖国の詩人たち」と題されたこの作品。ベルギーでは少数派に属するフラマン語の詩人たちへのオマージュなのだが、言葉遊びや実在する人物への言及の要素が強いので、訳すと云うよりも、一行ごとに注釈を加えてゆくしかなさそうだ。

Krinkelund

Gezellug

Winkelund

Brandend
weer verlangend

woordenwerend
Geweten lezend.

De **blauwe porsche**

wijkt

kr ijijij ssssss end

Bang klang dingelombomkom

droomboom tsjulpkulpdulpbulb
tuuwietwietawazawiet

Krijtlijnen kwijnen
druppelvloeiende verdrietigheid
Claustrofobisch weg

TL-lampen klampen

Leven!

「我が祖国の詩人たち」

［1］冒頭の三行には Guido Gezelle（1830-1899）というブルージュ生まれの詩人の名前と、彼の詩の一節「トンボがくるくる（Krikelund）と飛び回る（Winkelund）」が読み込まれている。ゲゼルはフラマン語の言語としての独立の礎を築いた詩人だ。ちなみに彼の生まれた一八三〇年、ベルギーはオランダから分離され、国内の使用言語はフランス語が主流になったという。

［2］次の二行は赤字で「燃える／再び渇望する」。［3］その左下の二行は「言語の抑圧／良心（Geweten）は読む」なのだが、Geweten はその英訳である conscience と同じ苗字の Hendrik Conscience（1812-1883）に引っ掛けてある。彼もまたフラマン語圏における「国民的作家」である。

［4］その下の二行は青色で「青いポルシェが／遠ざかる」とあって、続く［5］kr ijjiij ssssss end は krijsend（タイヤがきいきい云う）の引き延ばし、そして［6］Bangklang 云々以下の三行は衝突の擬音である。実は Paul van Ostajen（1896-1928）という詩人、ある詩のなかで自分は青いポルシェに乗って死んでいきたいと書いたのだが、なんと赤いポルシェで事故を起こして死んでしまったというのだ。この部分の表記はダダイストであった Paul のパロディ、三行目にはちゃっかりマリファナ（wiet）などという単語が入っている。

［7］それに続く左端の三行、「チョークの線が薄れてゆく／滴り落ちる悲しみ／閉所恐怖症とともに去りぬ」は、ポルシェの事故現場を受けると同時に、三行目で Jotie T'hooft（1956-1977）と Hugo Claus（1929-2008）という二人の詩人を示唆している。前者は「俺が世界だ。そこで死の花は絶え間なく目を覚ます」という詩句を残して、真っ黒に塗り込めた小屋のなかで自殺し、ノーベル賞候補でもあった後者は、アルツハイマー病の兆しを前につい最近安楽死を実行し、政府首脳やカトリック教会を巻き込んだ物議をかもした。［8］その下の TL-lampen は屍体安置所で使用される蛍光灯、と同

時にフィリップと同郷の詩人Tom Lanoye（1958-）の頭文字、それが辛うじて［9］生に「Klampen引っかかっている」。lampenとklampenの脚韻に注意。最後を締めくくるのは［10］Leven!「生きろ！」。

よくまあ一ページにこれだけの詩人を詰めこんだものだと感心するが、これはいわば楽譜のようなものであって、この作品が真価を発揮するのはフィリップが壇上でこれらのテキストを声で「演奏」したときである。聞き手は無論フラマン語を話す人々なのだが、フィリップの一言一言が秘密の符合のように聴衆の想像力を掻き立て、部族的な連帯感が生まれるのが伝わってくるのだ。そこにはフラマン語という言語が、北はオランダ語への同化吸収の脅威に晒され、南はフランス語の政治的覇権に圧迫されているという微妙な位置づけも係っているだろう。

だがフィリップの芸人ぶりは、そういう小難しいことを抜きにしても、聴く者を日常世界から誘い出し、言葉の異界へと連れ去っていってくれる。そんな彼を見ていると、僕は思わず嫉妬してしまうのだ。母語の共同体、そしてそこに流れる伝統と、素直に付き合うことのできるヨーロッパの若い世代に。それから自分に問いかけてみる、「同じことがどうして日本語の世界では困難なのだろう？」と。

3

ジョージ・スツィルテス George Szirtes 英国

靴としての詩——詩に未来はあるか？

もちろんですとも。詩の未来は保証されています。がっしりとした手が守ってくれています。いつだってそうなのです、それが誰の手なのか知ることができないだけで。詩の未来が保証されているのは、詩が「商品」などではなく、人間存在の一形態、でなければ少なくとも、言語を介して経験されかつ表明される人間存在の一形態であるからです。詩は話すことと歌うことの中間に位置していて、生命を発語へと結びつけようとする欲望に溢れています。とりわけそれは、私たちの生の移ろいやすさを、言語の構造体に繋ぎ止めようとします。そしてその欲望は、私の思うに、我々が生まれて初めて驚きのあまりOの形に口を開き、けれどもただ叫ぶだけでは足りないと感じた瞬間から、我々の生存条件の奥深く埋め込まれているものなのです。だから私は、詩の現在についても未来についても、ちっとも不安ではありません。

驚きは消え去らないし、もうこれで充分だということもありません。

ところが「詩人」の未来となると話は全く別で、「詩書」の未来にしても暗澹たるものです。なぜもっと多くの人が詩に興味を抱いてくれないのか？なぜもっと詩集が売れないのか？

果たしてその理由は、英国の詩人エイドリアン・ミッチェルの云った「普通の人が詩に興味を抱かないのは、詩が普通の人に興味を抱いていないからだ」ということなのでしょうか？つまり詩人というのは自己中心的で、ともすれば詩人としての社会的責任を忘れてしまうからなのか。それとも、かつてハンガリーの詩人イストヴァン・ヴァスが云ったように、「靴にも事欠く時代には、人は詩を必要とする。だが靴が買えるようになったら、もはや詩などに用はない」という訳でしょうか。衣食足りて精神的怠惰を知る、たしかに物質的な快適さに満ちた社会では、精神的な歓びを求める力が衰えてしまうものです。

政治的な弾圧がある社会でも、詩は人々の心に特別な位置を占めます。その社会における共通言語――それは権力としての言語でもあるのですが――はあらゆるものに染み渡りますが、そういうとき詩は非常に重要な存在となります。詩には、イメージや連想や豊かな多義性を、調子、音楽性、沈黙などによって伝える力があるからです。けれども詩が重要なのは、現体制を攻撃するための政治的な道具としてではないでしょう。むしろそれは、マラルメの云う「言語の浄化作用」を発揮し始める点にあると思われます。マラルメが「部族の言語を浄化する」と云うとき、彼は表面的な言葉遣いの話をしている訳ではありません。ジョージ・オーウェルの描いた「ニュースピーク」（訳注：小説『1984』に出てくる人工言語）のような管理的な言説空間に、言語が呑みこまれてゆくのを防ぎ、生き生きとした感覚の回路を切り開くことを意味しているのです。一九七〇年代から八〇年代にかけて活躍したハンガリー出身の亡命詩人ジェルジュ・ペトリは、一九八九年の革命後に書いた詩のなかで、かつての共産主義政権についてこう云いました、「僕の大好きなオモチャがなくなっちゃった」と。それまでは体制側の汗臭い制服が、彼の詩によって洗濯されていたのです。彼の詩こそ、ひとびとにとっての晴れ着でした。そしてそれは、彼ほど鮮明に反体制亡命詩人の旗印を掲げてはいないものの、いい詩を書いている他のすべての詩人たちにもあてはまる言葉でした。しかしいったん「オモチャ」が取り上げられるや、共産主義政権もろとも、その政治的な言い回しや陰微にして容赦なき検閲もなくなり、と同時に、詩人たちと読者の間の共犯的連帯意識もまた解消され、今もなお解消されつつあるのです。

八〇年代の英国にはカーダール政権（訳注・一九五六年から六五年にかけてカーダール・ヤーノシュが率いたハンガリーの社会主義政権）下においてペトリが有していた倫理的正統性を、ほとんど渇望するような雰囲気が漂っていました。何故ならそれは詩人に悲劇のヒーローという役柄とともに、目的と聴衆とを与えてくれたのですから。詩人と読者とが結託するためにはある種の検閲が必要とされるようです。しかし幸か不幸か、英国ほど検閲から遠い国もありません。ジェームズ・カーカップというゲイの詩人が、キリストを同性愛の対象として描いた罪で逮捕されたことがありましたが、あれは七〇年代の話。八〇年代の政治状況では検閲の必要はほとんどなく、少なくとも詩に限っていえば皆無といってよかったのです。その代わり、多少とも検閲的な性格を帯びたものとして、文芸雑誌や出版社の編集者の存在がありました。すなわち「編集上の価値判断」と呼ばれるものです。

当時は文芸誌の廃刊が相次いでいました。「エンカウンター」や「ザ・リスナー」は廃刊一歩手前だったし、新聞の日曜版からは詩集の書評が消えてゆきました。そういう状況になると決まって出てくるのが、その時代を鏡のように映し出すアンソロジーというやつです。一九八二年に出版された「ペンギン版現代英国詩集」(ブレイク・モリソン、アンドリュー・モーション編)がまさにそれでした。このアンソロジーの目玉はアイルランド詩、とりわけシェイマス・ヒーニーを筆頭とする北アイルランドの「ザ・トラブルズ」と呼ばれる一群や、クレイグ・レインやクリストファー・レイドに代表される「マーシャニズム」(Martianism)の詩人たちでした。あの本はもともとオックスフォード派を中心として企画されたもので、フィリップ・ラーキンとかテッド・ヒューズといった大詩人の、「その次」を模索するという触れ込みだったのです。ヒューズやシルビア・プラスなどが、そのひとつ前の時代のアンソロジー(アルヴァアレス編の『ザ・ニュー・ポエトリー』)の主役でしたからね。

英国詩壇の動向を逐次辿ろうという訳ではありませんが、もうひとつだけ、一九九三年に刊行されたアンソロジーについて話させて下さい。版元はBloodax社、編者はハルス、ケネディ、およびモーレイ(Hulse, kennedy and Morley)、その名も意図的な挑発をこめて『ザ・ニュー・ポエトリー』。けれどもその内容は、名前から想像するよりもはるかに間口の広いアンソロジーで、ロンドン派とかオックスフォード派といった枠を超えて、「地方主義(regional)」あるいは「ポスト植民地主義(post colonialism)」と称されるものの、さまざまな声を取り入れることを試みました。具体的にはスコットランドやウェールズの詩人たち、そして女性詩人に焦点をあてたことも特徴のひとつでした。私自身もそのアンソロジーに収録されたひとりなのですが、英語で書かれている詩の種々雑多さ、気取って云えば多文化性（multiculturalism）というものを具現できるような詩人たちが召集されたのです。序文は切れ味の鋭い論調で、ペンギン版のアンソロジーが試みた「英国詩（British Poetry）」というような地理的な視点ではなく、かと云ってマーシャニズムのような新しい流派を特定しようという訳でもなく、「疎外（exclusion）の取り込み」という方針に貫かれていました。実はその時すでに「英国詩」とか「マーシャニズム」などというレッテルは陳腐化していたのですね。その序文によれば、このアンソロジーに収録された詩は、それまで詩壇の主流から（「編集上の価値判断により」）外されてきたもの、すなわち検閲に引っかかっていた〈声〉でした。つまりこのアンソロジーでは、詩の選択に係る編集判断が、文学的であると同時に、政治的あるいは倫理的な性格を帯びてもいたのです。既存の出版社が発行する文芸誌に寄稿している批評家や書評家は（実は私の詩集を出してくれた出版社も後年その誹りを受けることになるのですが）「詩警察（poetry police）」の一味であると見なされました。そして詩警察に抵抗を示すことには反体制的な魅力がありました。革命の英雄が登場したのです。英国はかくして、東欧と同じ状況を獲得しました。またそういう政治的な意図とはほとんど無関係に、このアンソロジーはキャロル・アン・ダフィという当代随一の人気女性詩人を生み出し、リントン・クウェシ・ジョンソンやスジャータ・バットといった詩人たちを幅広い読者層に知らしめました。ちなみにこの本はいまでも版を重ねていますが、それは背後にある編集方針と問題意識がいまだに有効性を失っておらず、多くの学校や大学で教材として使われているからにほかなりません。

とは云え、普通の英国人にとって、英国はあくまでも英国であり、東欧ではありません。ですから、たしかに出版される詩の種類は豊かになったものの、読者数はそれほど増えたわけではありませんでした。履くべき靴は、まだまだたくさんあったというわけです。

さて「詩」の未来を、純粋に読書の対象という視点から眺めるなら、明るい材料がないわけではありません。たとえば、詩書の出版点数は、近年流行りのパフォーマンス・ポエムやポエトリー・スラムを除外したとしても、着実に増えているのです。技術が進んだお陰で、以前よりも良質の本が安価に製作できるようになったせいでしょう。また、インターネット上のウェブ出版の重要性も見逃せません。ただ単に多くの人の眼に触れるということではなく（詩書においてそれは大した要素ではありません）、むしろ発表された作品が、年々洗練されてゆく上質な読者の間で一気に広まってゆく点に意味があるのです。そういう読者は、彼ら自身ウェブマガジンを作ったり、その熱心な読者である場合が多いので、ちょうど中世の人々が写本をやりとりし合ったように、互いにリンクを張り巡らして、情報の交換に余念がありません。

英国におけるもうひとつの大きな変化は、この五年で十倍になったとも云われる、創作科（Creative Writing）大学院の卒業者数の驚異的な増加です。学部においても、英文科の学生数が減る一方で、創作科と英文科の両方を専攻する学生の数は増えています。かくも大勢の学生たちが創作を志すというのは興味深いことです。彼らは詩の書き手であると同時に読み手でもあるわけですが、私には、彼らの書いたり読んだりしているものが、非常に多種多様であるという印象があります。古典的な定型詩もあれば自由詩もあり、また言☆語★実☆験★的な詩を書くものも。まさに文体のスーパーマーケットという感じですが、そこには伝統主義にせよ実験主義にせよ、歴史的なしがらみというものはありません。なぜならそのスーパーに来る客にとってはどれもが新しい実験だからです。そしてこれらの若い客たちも、古い世代がそうであったように、思想と感情と希望と恐怖を抱えて生きている人間なのだということを忘れてはなりません。

しかしながら、売上という観点からするならば、英国における詩の未来は相変わらず暗澹たるものです。書店、とりわけ大手のチェーン店は、詩書をあまり取り扱っていませんし、なかには一切置かなくなったところもあります。詩の出版社は国からの補助金で喰い繋いでいるのが現状です。書物が出版物としての存在理由を維持するためには、昔に戻って豪華本となる必要があるのかもしれません。一部の出版社は実際その方向に進んでいるようです。また書店で流通する以外に、詩書の大海がサイバースペースに流れ出し、高度に細分化された湾や入江（サイト）ごとに、熱心で知的な読者を獲得することが予想されます。さらにはいわゆる「フリーペーパー」の疾風怒濤が吹き荒れ、公共の建物や列車、マッチ箱のラベルや紙ナプキンの上に、あたかも亡霊のごとく詩を出現せしめるでしょう。それらは確かにはかない言葉ですが、考えてみれば私たち自身がはかない存在であり、詩とはそのはかない胸に響いて来る言葉なのです。

詩が齎す歓びは深く、複雑精妙で、確乎たるものです。何故なら私たちの生自体がそのような歓びに満ちているのですから。私を最初に詩に目覚めさせてくれたのは、今は亡きマーティン・ベルでした。彼は何年か大学で英文学を教えていたので、私はある時彼に、学校教育における詩のあり方について訊ねてみました。彼の答えは「詩は学校で教えるものではないよ。詩とはこっそりと味わうべき禁断の実なのだ」今になって見ると、彼の云わんとしたことがよく分かります。詩とは特別な才能を持った人達が特別なやり方で解くべき難しいパズルではなく、誰にでも開かれたものです。そこに禁断の味があるとすれば、それはマラルメの云った「言語の浄化作用」、すなわち世界を半ば歌い半ば語るやり方、国家や商業の通念を揺るがすノンセンス性、そして言葉の機能に基づくすべての力のゆえなのです。詩の抵抗力は、愉しく、普遍的であると同時に破壊的でもあり、時に荒々しく反旗を翻すかと思えば、時には優しく耳元で囁くものです。詩はどこにでも転がっているわけではなく、そのことの価値を自らわきまえています。真の詩とは己れの限界性を裡に宿しているもの、大きくOの形に開きながら、それだけでは決して足りないことを知っている口なのです。

私自身は、詩の復権のために貧困や検閲や警察国家があった方がいいとは思っていません。むしろ私は人々が靴と食べ物と魂のしなやかさを持ち合わせていることを願うものです。そしてその魂が、本来の役割通り、悲しみと驚嘆とを引き受けてくれることを。

(本稿は、二〇〇八年六月八日、ルーマニア・ネプチューンで開催された国際文学祭“Days and Nights of Literature”において行なわれた講演に、著者が加筆修正を加えたものである。原題は、“Poetry of Shoes: The Future of Poetry” by George Szirtes)

訳者解説

ジョージ・スツィルテスに初めて会ったのは、ほんの一月ばかり前のことだ。ぼくらはともにルーマニア文芸家協会の主催する国際文学祭に招かれていて、首都ブカレストから黒海のほとりのネプチューンという街までバスで移動する数時間、席を隣り合わせたのだった。

第一印象は温厚で柔和な人柄、だが話し始めるとすぐに、そこに膨大な博識と鋭い知性とが加わった。英語の話しぶりから生粋の英国人かと思っていたら、実はブダペスト生まれのハンガリー人、八才の時政治的迫害を逃れて一家で英国に亡命したとのこと。本稿でハンガリーの詩人や政治的状況に言及されているのはそういう事情だからだが、そのことが彼の精神にある種の陰影——複眼的な物の見方と挑戦的な精神——を与えているようにも思えた。

道中の四方山話の合間に、ぼくはある翻訳の版権取得をめぐる英国の出版社との交渉の進め方について、彼のアドバイスを求めた。その出版社が彼の最初の詩集の版元であることが分かったからだ。その辺りから、我々の会話は詩書の出版事情、出版社の経営状況、詩人と読者との関係、詩の将来に関する展望など、要するに本稿で論じられている話題へと転じていったのだ。最初はふたりだけで英国と日本の状況を、ときたま彼のもうひとつの「地元」であるハンガリーのそれも交えながら話していたのだが、この話題は周囲の関心を惹いたらしく、途中からノルウェーの翻訳家とウクライナの小説家が加わって、さながら乗合船の談論風発といった趣きを呈したのだった。

ところでこの文学祭は、詩祭と名乗らないだけあって、詩人のほかに小説家、批評家、翻訳者がひろく参加した大規模なものだった。

（小説家のなかで最も有名なのは、一昨年ノーベル賞を受賞したトルコのオルハン・パムック。だが人気の点では、ネット文学で一躍売れっ子となったロシアの若手女流作家、愛くるしい童顔のイリーナ・デネズキーナに押され気味だった）従ってプログラムも、午前中は広く文学一般に関するシンポジウム、夕方から夜にかけて詩の朗読という二本立てであり、四日間連続で行なわれたシンポジウムの中心テーマが「文学に未来はあるか」だったというわけだ。ここに訳したジョージ・スツィルテスの講演は、その問に対して、詩人の立場から応えたものである。

彼の前に何人の小説家や文芸批評家が演壇に立ったかは覚えていないが、ある者は悲憤慷慨、ある者は冷ややかな諦念、とにかく誰も彼もが悲観的で、鎮魂歌（もちろん文学へのだ）鳴り響く葬送行進という風だった。いわくアメリカ発のグローバリズムと消費経済が人間精神を蝕んでいる、いわくいまやシリアスな文学の読者は書き手の数よりも少なくなった、いわくネットに溢れる文学もどきはゴミばかり、云々。

ひとつひとつの発言には同感するところもあるのだが、次から次へと（それもヘッドフォンから流れて来る同時通訳を介して）聴いているうちに、ぼくはだんだんうんざりしてきた。コーヒーブレイクのとき、イスラエルから来ていた旧知の女流詩人に、ぼくはこう言ったものだった。

「みんなの発言を聴いてはっきりと分かったよ。ぼくには文学にも、文学の未来にも、まったく興味がないってね。ぼくに興味があるのは詩だけなんだが、詩ってのは文学とも未来とも無縁な存在なんだ。そういうものを超越しているのさ。詩に未来があるかなんて、人類に未来はあるかって訊くようなもんじゃないか」

彼女（アギ・ミショール、ぼくよりもちょうど一回り上で、いまイスラエルで一番売れている詩人だ）はくわえ煙草の煙に目を細めながらにっと笑って「まったく同感」と例の掠れた声で応えたものだが、我がジョージ・スツィルテスが演壇に立って本稿を講演したのは、まさにその直後だったのだ。ぼくとアギが思わず顔を見合わせて、盛大な拍手を送ったのは言うまでもない。

ここでジョージの経歴を簡単に記しておこう。一九四八年ブダペスト生まれ、一九五六年政治難民として英国に移住、画家としての活動を経た後、詩人およびハンガリー語から英語への翻訳者として活躍。主な著作に、一九七九年『斜めの扉（The Slant Door）』（フェイバー記念賞）、二〇〇四年『リール（Reel）』（T・S・エリオット賞）など。ハンガリーの詩、小説の翻訳も多数。三十八年連れ添った奥さんのClarissa Upchurchも画家で、夫婦でThe Starwheel Pressという詩と映像を中心とした出版社を運営しているとのこと。もっと興味のある方は、彼のウェブサイト、www.georgeszirtes.co.ukまで。

もっとも詩人について知るにはその詩を読むことがなによりの早道だ。この項の終わりに、彼がルーマニアで朗読してくれた作品のひとつを訳出しておくことにしよう。

＊

結婚式と結婚式専門写真家、ブダペスト

これらは日常の回廊です。
これらはアパートの床、

そこを歩き回る女の、素っ気なく開かれた
窓の翼の、鉄の手摺の寡黙な
気遣いの、もう二度と着られることのない花嫁衣装の
眩いばかりに純白な儀式の床です。

その底の方には中庭が渦巻いていて、涙が
ほかのガラクタといっしょにバケツの雨水のように溜まっています。
女は都会を夢見ています。花嫁はベッドの用意をしています。
花婿は花嫁の髪の毛を撫でています。なにひとつとして
欠けているものはありません。なにひとつ消え去りません。光は
まるで無人の建物の中でのようにひとりっきりで飛び跳ねています。

（訳註：この作品“Wedding Photographer with Wedding, Budapest”はハンガリー系米国人の写真家、Sylvia Plachy の作品に触発されて書いたものだそうだ）

4 ゴクチェナー・セレビオウグル Gokçenur Çelebioglu　トルコ

ゴクチェナーはイスタンブール工科大学で電気工学を学んだ上に経営学の修士号までとって、現在はある会社の若手重役を務めている。出版社に勤める奥さんとの間に幼い娘さんがひとり。つまり彼は詩人であると同時に社会人であり家庭人でもある。そのせいかトルコのいわゆる詩壇とは一種距離を置いていて、早くから有能な若手詩人として認知されていたにも係わらず、あえて三十五歳になるまで詩集を出そうとしなかった。そこには、詩そのものに対して誰よりも純粋であろうとする意志と自負とが籠められているようだ。似たような境遇で詩を書いてきたぼくにとって、そんなゴクチェナーはどこか他人とは思えないのである。

言葉では言い表せないものへの記念碑

通気のために開け放たれた向かい合わせの二つの窓
汗ばんだぼくのお腹の上には『無政府主義者の短い夏』*
傍らには折れた花蘇芳**の枝みたいに横たわっている君
美しくて、毀損していて、イスタンブールの街にそっくり

カーテンが風に翻る
一羽の小鳥が飛び込んできて
もうひとつの窓から外へ出てゆく

心から溢れてしまうもの――　混じりけのない一瞬の透明
それは言葉のなかで引き延ばされる、そして輝きを失ってゆく
幸福とその後に取り残された空白
視る者のまなざしだけに生じる奇跡
ああ、とても言葉では言い表せない！

もう二度と取り返すことのできない瞬間
その唯一の証人となることの
重圧

(Anlatmanın Olanaksızlığına Ant)

＊訳注　Hans Magnus Engensberger の小説
＊＊訳注　花蘇芳はイスタンブールの代表的な木。春になると街じゅうがこの木の花で彩られるという。

一九七一年イスタンブール生まれ。詩人として活躍するだけでなく、ウォーレン・スティーブンスやポール・オースターなどの米国現代詩、そして日本の俳句のアンソロジーを編み、翻訳文学の編集にも携わっている。次に紹介する二篇は、連歌の詩学を応用した彼独特の詩形であり、すでに五十篇以上作っているとか。となると、じゃひとつ二人で連詩でも始めてみようか、という話になるのは当然の成り行きだろう。ミュンヘンとイスタンブールの間で、現在も進行中なのである。

現実とは窓とカーテンの間でブンブン唸っている虻のようなもの

1 秋の午後、声なき鴉が飛んでゆく
2 「もう一杯紅茶はいかが?」と同じ口調で「あなたのように書けるならなにもかもを差し出してもいい」と云い
3 芝は伸び、石は穿たれ、粒子は核のまわりを物凄い勢いで飛び回ってラ
4 事が起こるのはいつも遅すぎるか早すぎるかで
5 つまりは何も起こらなかったかのと同じこと
6 「俺はもう全てを差し出したんだがなあ」と君は云い
7 現実とは窓とカーテンの間でブンブンと唸っている虻の如し

(Perdeyle Camın Arasına Sıkışmış Bir At Sineği Gibi Vızıldıyor Gerçeklik)

誠実さは役に立たない、ヤツガシラは囀っている

1　どう始めればいいのか分からない（いつものことだ、ホメロスもそうだったらしいけど）
2　最初の一行には無限の労りを尽くしても尽くし過ぎると云う事はない
3　世界を見ながら書いているのだけれど、書かれた言葉は世界とは似ても似つかないのです
4　誠実さは役に立たない、ヤツガシラは囀っている※
5　うろうろしなよだけどそこで見た物を書くんじゃないぞと風に吹かれる柳が云う、この矛盾したアドバイスを肝に銘ずること
6　書くことを欲して眼で選択する、書き始める前にすでに変える、そして書いている最中にも変容させる。そういうのは全部間違いなのだ。
7　君のうなじが汗ばんだところを思い出していたら、ほのかに薔薇の香りのする棘に両手を刺された。ああ、こんな詩は書くんじゃなかった。

※もしも本当にヤツガシラが囀っていたなら、この一行は現実味を増すだろうか？

(İçtenlik Yararsız, Bir İbibik Ötüyor)

詩人であることと生活者であることの、二足の草蛙をどう履き分けていけばいいのか――リトアニアの巨大温水プールに並んで浮かびながらぼくらはぼそぼそと話し合ったが、もとより言葉で答えられる問いではないことは、彼もぼくも身に沁みて分かっていたのだった。

5

ヴィタウタス・デクスニス Vytautas Deksnys リトアニア

アル中

北極星が灯って、いよいよ
ガソリンを注ぐ時間だ。椅子をつっかえ棒に
ドアをぴしゃりと閉める、土の床には石油缶がひとつ。俺たちは
なんだって飲むぞ、電線に沿って密売所まで歩いてゆく、
成層圏のなかの、成層圏のなかの煙突を越えて
戻って来る。三日目には
ストーブのパイプだけを残して、
ホットプレートを売り払い、パイプを通して欲しいものを
伝え合いながらイプレスの毒ガスをあおり、戦場の
思い出を語る。五日目になると
電気が切られてしまう。ごそごそやっているうちに
またライトが灯る。九日目には

ランプのフィラメントを売り飛ばして
化粧水を買う、やれやれ
俺たちの体臭まで薔薇の香りだ。その頃には
部屋の広さは二倍になり
モノが消えてなくなるがやがてそれらが
頭上から語りかけて来る、なんだか
気味が悪い。十日目、
犬が逃げ出し、電線に沿って
走ってゆく。いまやあいつが野犬収容所の番犬だ。
正真正銘の地獄のケルベロス。
株式市場ではもう犬の売買取引は終わっている。
俺たちは屋根を解体する。途中で止めるわけにはいかないのだ。
さあ、自家製の糊でも飲もうや。

(Alkoholikai)

一九七二年生まれ。ヴィリニュス大学を卒業した後、ポーランドに留学、哲学の博士号を取得。二〇〇五年第一詩集『例外』。ポーランド語、ウクライナ語などの中央アジア諸国の言語からリトアニア語への翻訳を生業とする。現在はヴィリニュス在住……と書いてみても、どうもぴんとこない。一週間にわたって朝から晩まで顔を突き合わせていたあの巻き毛の、斜視の気があるのかいつもどこを見ているのか判然としない三十男と、重なってこないのだ。

ヴィタス（ぼくらはそう呼んでいた、結局ラストネームを口にすることはなかった）とぼくは互いの作品をそれぞれの母国語に翻訳しあったものの、ほとんど話らしい話はすることがなかった。それでいてなぜか縁があって、たとえば朗読会がはねたあとの真夜中に、土地の若い詩人たちに連れられて古めかしい塔のてっぺんに酒瓶を抱えて登ってゆくと、ヴィタスが先刻お待ちかねで、ボロボロのソファに悠然と坐っていたりするのだった。

彼はリトアニアを代表する詩人たちの仲間入りをするにはまだ若過ぎ、かといって若手と呼ぶには年を取りすぎている。若い詩人たちからは兄貴分として慕われている様子だったが、彼自身は砂時計の真ん中のくびれの部分に引っかかっているような、どことなく危うい印象があった。トルコの詩人ゴクチェナーもそれを感じたのか、ヴィタスに向かってしきりに「書き続けろよ、止めたらだめだぞ」と励ましていた。

ぼくには土地の詳しい事情は分からないが、そこには自由主義革命から二十年（！）を経たあとの、旧共産主義国家独特の「状況」というものもあるだろう。先行する世代の詩人が、あるいは民族的な叙情に回帰したり、あるいはポストモダン風の詩を書いたりするなかで、彼の詩は日常という名の怪物と闘っているように見える。グローバル化の波にのってこの星をすっぽりと覆ってしまい、閉塞感と無力さばかりをもたらす二十一世紀の日常……

こんな風に書くと、今度はヴィタスが竜を退治する聖ミハエルのように響くかもしれないが、もちろんそれも生身のヴィタスの、あのぬーぼーとした印象からはほど遠い。捕らえ所がないくせに妙に懐かしい、そしてリトアニアで会ったどんな詩人よりも、その作品が強いリアリティを備えていたのがヴィタスという詩人なのだった。

遠く、遠く、遠く、遠く……

どこにいかれちまったのか分からない
あの顔か、声か、それとも匂いか
俺は椅子に座って身を屈め
馬鹿げた歌を口ずさむ
彼女は目をぱちくりする、電話に答えて
モシモシ、それから目を輝かせて
はいと答える、やっぱりそうだ、俺は画面からはみ出しちまってるぞ
それから彼女は浴室の、鏡の前に
突っ立って、目をぱちくり
した途端にひっくり返って、床の上
ぞっとするほどの美貌が剥がれて、揺り起される
はずみで洋服が捲れ上がっている
抜けるような肌の、太陽みたいにきれいなお腹だ
彼女は台所に座っている
俺は突っ立ったまま、どうすりゃいいのか
手を伸ばせば届く距離なのに伸ばす手がみつからないのさ
俺だけがこのモザイクのどこにも当て嵌まらない
俺は散歩に出かける

(Toli, toli, toli, toli...)

6

ミリアム・ヴァン・ヘー Miriam Van Hee　ベルギー

眠れぬ夜

夜中に、一度眼を覚ましたきり
もう寝つかれないとき、
わたしはあなたに手を触れる、わたしの隣に
横たわっているその大きな身体に
時々あなたは寝返りを打ってわたしに背を向ける、
疲れきって、まるで人違いだと
云わんばかりに

時折あなたは寄添ってくる
わたしは横になって、あなたのぬくもりを
首の辺りに感じながら、夜が明けるのを待っている
するとわたしには分かる、いつの日か

あなたを失うだろうということが——あなたがそう云った訳ではないが
かと云ってそんなことはないと否定もしなかった——
あなたはわたしのもとを立ち去って
海抜の高い、陰影のない石灰岩の高原で
ひとりで暮らし始めるだろう、そこにはいつも風が吹いていて
夏の雨の水たまりが地面から
なす術もなく消えてゆくばかりなのだ

(sprookjes)

ブリュッセル、植物園

ある場所に帰属しようと試みて
疲れ果てたとき、

誰かが食卓を囲むみんなに質問する——
超越的であるとはどういうことなのかと、するとあなたは
皿の上の食べ残しを見つめる、屋外では
木々の葉が不意に風にざわめき、もうじき雨が降るわ
とあなたは思う、そして自分に言い聞かせる
恐くなんかないのだと、異国で

夜を迎えて、また別の誰かが、あなたに問いかける
移ろいについて、あなたはそれに抗うべく書いているのか、
それともむしろ書くことによって癒されているのかと

あなたはゴムの木を思い浮かべる
熱帯の、くーくーと
鳩たちが鳴き交わしているゴムの木々を

(brussel, jardin botanique)

サン・クロワにて、夏の夕暮

思いがけぬ場所に、聳え立って
ポプラは風に吹かれている
賑やかな気配に満ちて、語りかけるように
それでいて落ち着きはらって。ポプラの葉の一枚一枚に
過ぎ去った日々の光
ステンドガラスのように、谷間に向って
暖かさを投げかけている

夕暮れ、私たちは足跡を消して佇んでいる

何も待たずに、喪失と、優しさと、
ポプラの光だけに包まれて
ここで暮らしている

(Zomeravond in sainte-croix)

ミリアム・ヴァン・ヘーは一九五二年ベルギー・ゲントの生まれ、フランドル語の詩人である。一九七八年の処女詩集『貧しき食卓』以来、八冊の詩集を出し、多くの文学賞を受賞、フランス、スウェーデン、ロシア、リトアニア、ポーランド、ドイツで訳詩集が出版されている。スラブ語の研究者でもあり、アントワープの翻訳・通訳学院で教える傍ら、マンデリシュタムなどロシアの詩人の作品を多くフランドル語に訳している。

ミリアムとはこれまで二度同じ詩祭に参加しているのだが、物静かな人であまり言葉を交わしたことがない。それでいてその声と口調は強く印象に残っていて、彼女の詩を読むたびに耳元に蘇るのだ。熱狂や叫びの対極にある覚めきった独語、寂しげだが決して感傷には流されないその響きがミリアムの詩を満たしている。

その詩の言葉遣いは平明にして明晰、あくまでも現実を見据えながら（ここに訳出した「ブリュッセル、植物園」にもあるように）超越的な世界を探ってゆく。その姿勢はフェルメールを初めとするフランドル派の画家たちを思わせるが、これはオランダ語詩人にも共通する特質であるようだ。

無題

あばら骨は骨格のなかでも
最上の部位、羽根あるいはある種の
アコーディオンに似て、生命を出入りさせる
あばら骨がよく見えるのは
饑餓または集団墓地においてである
あばら骨は海の潮が引いた後で
砂浜に残された皺
一番脆弱ですぐに折れる木々の梢
トラックの荷台に積まれ
曳かれてゆく

(de ribben zijn van het geraamte...)

7 クラウディウ・コマルティン Claudiu Komartin ルーマニア

シェルター　――クリストファー・フレンスマルクに

夜が来て、月がシェルターの壁にぶつかり
書物が、とうにどんな刺激にも反応しなくなった
哀れな家族の長老となってしまうと、
僕はまるで獣に育てられた子供のように
言葉というものが耐え難くなる。
森の奥の干上がった沼。

(僕の周りのいたるところで、
恐怖と恥辱でとても口にできないような
機械作業が続けられている)

僕は文盲だったらよかったのに

自分のお腹を撫でながら　化石の森のなかで
スタッカートの唄を口ずさんでいるような野蛮人だったなら。

火花は止んだが、最初の言葉は
まだ巣のなかに漂っている
親キツネは眼を丸くして仔ギツネの口元を見つめて、
それから優しく額を舐めてやる
今聴こえたのが単なる錯覚に過ぎないことを願いながら。

(Refugiu)

一九八三年、ブカレスト生まれ。二〇〇三年第一詩集『人形師』で新人賞を総なめ、二〇〇五年の第二詩集『家庭内サーカス』では権威あるルーマニア・ポエトリーアカデミー賞を受賞。詩誌「versus/m」の編集に携わる一方、フランス文学をルーマニア語に翻訳、自らの作品は欧州各国および韓国語など八カ国語に訳されている。

八三年生まれといえば現在、弱冠二十六歳。処女詩集を出したのは大学在籍中の二十歳のときである。どの時代のどの国にも早熟の詩人はいるものだが、クラウディウの場合はとりわけ華々しいものだろう。自らの才能が巻き起こした旋風に連れ去られるようにして大学を中退し、気が付いたら専業詩人の道を歩み始めていた。

いまやルーマニア詩壇における「ニューウェーブ」の旗手として堂々たる風格だし、女の子にもてそうな甘いマスクの持ち主でもあるのだが、時折どこか頼りなげな、迷い犬のような目をみせることがある。その眼差しが誰かに似ていると思っていたが、そのうち十八歳になる自分の息子だと思い当たってげっそりした。考えてみれば、彼がぼくの息子だとしたって年齢的にはおかしくないのである。やれやれ。

ルーマニアン・オディティ　　――Ki Young-In に

夢の中でさえ働き続ける人々のいる場所を僕は訪れ
そこで黄色い肌の女と恋に落ちた
彼女にとって僕は別世界からやってきた珍奇な存在、
何種類もの言語を操るジプシー、掠れた声を
一千万のロボット達が棲むゴーストタウンの
暗がりに響かせる。

僕は理解とぬくもりを欲しがるのを止めて
自分の体を地上から仏法者の伝説のなかへ持ち上げた
束の間ぼくは浮かんでいた
ネオン光と光ケーブルでいっぱいの深淵に

そしてすべてが一瞬にして燃え上がり

欲望と狂気に滲みながら
ぼくの目の前で灰燼に帰したのだ、
ダミー人形たちが人間の仕草や習慣の真似をしている
遠い昔のサイレント映画の一巻のように。
(Romanian Oddity)

「ルーマニアン・オディティ」は、デイビッド・ボウイの「スペース・オディティ」のもじりだそうだ。二十一世紀の限りなく仮想に近い現実を、機知と機転で軽々とスケートボードを操るように通り抜けながら、その肩越しに、不安と恐怖と官能で妖しく震える「黒い蝶」を指し示してみせるのが彼の詩だ。

黒い蝶

人間のことを考えるのは厭なんだ
人間にとって、愛とは
全身不随の体操選手の額にとまって
広げた翅を光らせている黒い蝶のようなものだから

その蝶は何日もずっとそこにいて
彼の眼を優しく覗き込むんだ

自分の口吻を一番柔らかな組織に突き刺して
子供のように愉しげに

口吻を突き刺して笑いながら
口吻を突き刺して笑いながら

めくるめく陽の下で

(Black Butterfly)

8 ウルシュラ・コジオウ Urszula Koziol ポーランド

白い蝶

白い蝶が庭に姿を現したとき
カーネーションは情熱に燃え上がった
睡蓮の花は水面に映った自分の顔をまじまじと見て
あたしなんかじゃダメだわと悲観した
チューリップは誘うように首を揺らし続けた
(いったい誰がその唇の魅力に抗えるだろう?)
だが蝶が選んだのは、キャベツだった。
彼には養うべき家族があったから。

(Biały motyl)

ウルシュラに会ったのは、二年前にルーマニアで開かれたある詩祭においてだった。詩祭での朗読は彼女の母国語であるポーランド語とルーマニア語の翻訳、彼女が外国人と話すのはフランス語だったので、会期中僕にはウルシュラの詩もそのひととなりも、言語を介して知る術を持たなかった。

ところがそうすると代わりに非言語的認識力というか、直感のようなものが研ぎすまされてくるのである。一週間ほど一緒に過ごしているうちに、一見ポーランドの田舎の農婦といったこの寡黙な老婦人が、すぐれた詩人に特有なオーラを放っていることに気が付いた。家に帰るとすぐにぼくは彼女の英訳詩集をアマゾンで取り寄せたのだが、その勘は見事に的中していた。

詩の手前

待ち続けていれば
呼びかけに応えてくれるだろうか
再び届いてくれるだろうか
(一度はたしかにこの耳に聴こえたのだ)
いったい何度まで
その声を聴くことができるのだろう?

あの声は永遠にわたしのもの?
それとも束の間貸してもらっているだけ?
泣くしかないのか、望みはあるのか?

詩と詩の間の沈黙にわたしは耳を澄まして待っている

目の前でぴしゃりと閉ざされた門扉に
恥も外聞もなく
耳を押しつけたまま。

力尽き、進退極まって、わたしは
自分が大切なものを失ったことを思い知る。
多産の雲は
わたしの渇きを拒み
実りの風は
やさしい吐息で嬲るだけ
血気盛んな大地はいらいらしている
もう一度あの声が聴こえるまで
ここから梃子でも動こうとしないわたしの姿に。

(Przedwiersze)

ウルシュラ・コジオウ、一九三一年ポーランド東部の生まれ、五七年に処女詩集『ゴムの塊』、以降八冊の詩集、二冊の小説、短編集、ラジオ劇や芝居の脚本を発表、六八年からは文芸雑誌「Odra」の編集・発行、新聞雑誌にも幅広い題材についてコラムを執筆するなど、半世紀に渡って旺盛な活動を続けている。

その作風は知的で硬質、ギリシャ古典に遡る欧州の伝統を継承しつつもあくまで現実の具体性から出発し、時に厳しい倫理性、時に放埒な官能性を示しながら、日常の彼方にひそむ超越的な世界を探求する。シンボルスカを彷彿させるところもあるが、年齢的にも妹分で親交が深いとか。ポーランドの詩の最良の果実のひとつであることは明らかだ。

美術館にて

わたしの幸福には小石ひとつ動かせないし
わたしの涙がナイチンゲールの囀りを黙らせることもない
人生という木において
葉っぱと葉っぱとは他人同士
露の滴にいたっては別世界の存在だ。
ルカ・シニョレリ*はこのことをよく弁えていた――
神が死んだからといって野苺が熟することの妨げにはならないし
マグダラのマリアが十字架の足元でどれだけ嘆き悲しもうと
蝶がその飛翔を止めるわけではないのだと。

(Z museum)

*訳注　Luca Signorelli 1445/50-1523　イタリアルネサンス期のフレスコ画家

詩祭が終わってしばらくすると思いがけずウルシュラから手紙が届いた。ぼくが彼女に抱いていた興味と関心を察したのだろう、自作の英訳や批評が同封されていた。そのなかに「Michiko Tsukada」という名前も。そう、ポーランド文学の翻訳者であるつかだみちこさんと知り合いになったそれがきっかけだったのだ。そのつかださんと一緒にウルシュラの詩を翻訳できて、なにかひとつの輪が完結したような感慨を抱いている。

（翻訳・つかだみちこ＋四元康祐、解説・四元）

9

ヴァルター・ヒューゴー・メー valter hugo mãe ポルトガル

十二才の時に見た夢

引出しの中には
風に反応する物たちが
仕舞われている。柔らかな
スカーフ、特別な
思い出の匂い、失われた希望によって
消された希望と
カシミロ兄さんの灰。

そのとき誰かが窓を開く
すると物たちはそれぞれに動き始める
まるで兄さんが
生き返ったみたいだ。ほんの束の間

たった一度だけ僕が兄さんと
仲良しになれるように。

(sonho aos doze anos)

一九七一年アンゴラ生まれ、これまでに九冊の詩集と三冊の小説を発表し、ポルトガル現代詩のアンソロジーを編み、詩誌「Apeadeiro」を編集するうえに、Quasi Press 社なる文芸書専門の出版社まで立ち上げている。その多産ぶりにぼくが舌を巻くと、ヴァルターは「仕事中毒なんだよ」と笑ってみせた。

ヴァルターに会う直前に読んだ彼の詩の題名は「デブにしてハゲ」、「どこへ行くのだ、ヴァルター・ヒューゴー・メーよ／友もなく、あてどなく／虚無の道路をさまよう」という書き出しだった。だが実際のヴァルターは、頭髪こそ薄いものの、ハンサムにしてセクシー、それでいて洗練された知性と優しさを感じさせる実に魅力的な男だった。

ヴァルターの詩には、瑞々しい感受性と倦怠と頽廃が同居している。裕福な家庭に育った早熟な少年が、丁寧に手入れされた庭の片隅で「失われたものへの挽歌」を口ずさむような印象、あるいはそれはヨーロッパの外縁に位置しながら、豪華絢爛たる帝国の栄華と衰亡を味わってきたポルトガルという国に特有な資質なのかもしれない。

ある朗読の席でぼくが浪曲の真似事を唸ってみせたら、ヴァルターはつられて自作のファドを披露した。その朗々たる声音がいまも耳に残っている。

フロイトはベッドの端に座って

ぼくらは別々にまったく
同じ夢を見る。フロイトがベッドの端に座って
苦悩している夢だ。だとすれば、彼はこれから
何時間もそこに居座るだろう、トンネルのなかにいながら、もっと
多くのトンネルを求めるように、どうしてぼくらのところへ
話をしに来たのかその理由については堅く口を閉ざしたまま。僕は
彼のドイツ語が理解できず、彼に対して
幸福への道を指南してやれないことにうんざりしている。
ブルーノはフロイトのサインが貰えたと思って
大喜びする、目がさめた後でもそれがあると信じているんだ。
僕らは目を醒ます。僕の家は静まり返っていて
その背後にフロイトの気配を宿している。ブルーノの家には
誰もいない。彼は僕に言う、
「毎晩それはぼくから遠ざかってゆく、宇宙の
どん詰まり、生の優しさ、
単語の勉強」。まるでどこかで
だれかが「しーっ」と囁き続けているかのような感じで

僕らの存在が限りなく無に近づいてゆく。僕は
フロイトに心服する、なにしろ僕らを断罪した上で
自分の永遠をあがなうために付きまとっているのだから。僕は
寝ずの番が睡眠よりも有効だという保証がない限り
起き上がりたくはないんだ、だって
毎晩それは僕から遠ざかってゆくのだから、
宇宙のどん詰まり、生の優しさ、
単語の勉強。

僕らはフロイトをここに棲みついた
猫みたいに撫でてやろうか、可哀想な仔猫ちゃんって、だが
神経症は父親を憎んでいて僕らは
定められた未来に向って
蛇口から逆る水のように血を流している、僕らは
幸せになれないことを知っている、それでも
大声で自分の存在を主張する、そして
何もかもがそんな風であって欲しいと願う、日常の戦闘のなかで
立ち竦みつつ歓喜に溢れて、僕らはまるで
打ち上げ花火の筒のようじゃないか、フロイトに

追いかけられても、まだクラクラするほど眩しくて
僕らの戦争に徴兵されてきた
女たちの整列に溜息を漏らしているよ

こっちへおいでよ仔猫ちゃん、怖がらないで。そう、これはフロイト、
僕のベッドの端にまた座っている

(o freud senta-se aos pés da cama)

10

アギ・ミショール Agi Mishol　イスラエル

鑞の花

葬儀は慎ましいものだった。
あなたに関する最後の書類を
役所の係員が手渡してくれた。生前
どこからも卒業することのなかったあなたに
唐突に授与された立派な
死亡証明書
国家の紋章まで付いている
まるであなたがすべての必修科目をパスして
なにかを履修したとでも云うように。

係員は、この機会に
お父さまの死亡証明書も更新

（本当にそう云ったのだ）
なさいますか、と訊いた。
それからふたつの死亡証明書を
お揃いの墓石みたいに並べて差しだすと
扉を開けるブザーを押した。

私は外に出て
通りを歩き始めた
小さな女の子のように
両手を
ひらひら風に翻る
紙のパパとママに繋がれて。

(Nerot netz-ha-hel-ev)

アギ・ミショールは一九四七年ハンガリーで生まれた。右に訳した詩に登場する両親はユダヤ系ハンガリー人で、ともにナチスの強制収容所を生き延びてきた人たちだ。一家は、その翌年建国したばかりのイスラエルへ幼いアギを連れて移住する。現在もテルアビブに住むアギの人生は、イスラエルの歴史と重なり合っている。だが彼女の詩から聞こえてくるのは歴史の弾劾や政治の演説ではなく、個々の人間の（多くの場合、過去および現在のアギ自身の）魂の呟きだ。
一九七二年『乳母とあたしたち』でデビューして以来、アギ・ミショールは十冊以上の詩集を出版し、数多くの文学賞を受賞、詩誌「ヘリコン」の編集委員を務める一方、複数の大学の創作科で教鞭をとってきた。だが彼女にとっての最大の栄誉は、一般的な読者からの圧倒的な人気に他ならないだろう。噂によればどの詩集も一万部を下回ることはないとか。人口が六百万、ヘブライ語を母語とする国民がその約八割という国での話なのだから、日本の人口に換算すると大ベストセラーである。

去年の夏再会したとき、アギはしょげかえっていた。一年分の詩稿をハンドバッグもろとも途中の空港で盗まれてしまったのだ。ところが翌日は一転して喜色満面、娘さんから妊娠したという報せが入ったとか。そんな日常の波瀾万丈は、アギの詩の世界そのものだ。今ごろ、娘さんは赤ちゃんを出産し、アギは失われた詩を再び取り戻しているだろう。

駄菓子屋

昨日の夜グロスさんの駄菓子屋の夢を見た。
(赤と青の)ソーダの噴水のまわりで
カップは惑星みたいに輝いていた。
キャンディのピンク色の匂いを嗅ぐと
わたしの胸はきゅんとなった
昔のまんまに。

限りなく細かく砕かれた砂糖をまとって
箱のなかに並ぶ黄色いバナナ・フィッシュの群、
その隣でゆっくりと黒ずんでゆく
甘草入りの魚キャンディー（最後まであれが好きなのか嫌いなのか自分でもよく分からなかった）。
わたしの舌がなによりも舐めたがったのは、真っ赤な
砂糖のニワトリ、
ガサガサと音をたてるセロファンの
包み紙の端から顔を覗かせていた。

グロスさん、あなたはお菓子の国の王様
これらすべての財宝を支配するひと、
いくつもの層をなして
色を変え続けるあなたのキャンディは
何年にもわたってわたしを中心へと誘ってきました。
だからこそわたしは
足を忍ばせ
手に硬貨を握りしめて
今あなたのお菓子の前に立っているのです。

猫の舌の王様、
あなたはわたしに何が欲しいかとお尋ねになります。

ああ、あなたはご存知ないのです、
わたしの人生が
あの魔法の駄菓子屋の店先から
どんなに遠くへわたしを連れ去っていったことか、
あなたのその問いかけが
どれほどわたしの胸を掻き乱すのか。

(Ha-kiosk)

訳注：日本語訳にあっっては、アギ・ミショールの英訳者 Lisa Katz の協力を得た。

11

イオアン・エス・ポップ　Ioan Es Pop　ルーマニア

1976年10月12日

四世代に渡って、我家の裏には暗い血の川が流れている。
来る年も来る年も、父は枯葉や藁でその川を覆い隠してきた
近所の人に気づかれないためにだ。祖父だってやっぱり枯葉や藁をかぶせていたわけだし
いずれはぼくがその役目を引き受けることになるだろう
自分の家の裏にそんなものが流れていることを近所の人に知られる訳にはいかないもの。

春には土を耕し種を蒔くふりをする、
そうすればほかのみんなと同じに見えるから。
秋には、もちろん収穫のふり
右に倣え、誰にも内緒だ
実際にぼくらがしていることと云えば
次に誰がやってくるのか待っているだけなのだが、

そしてその誰かはぼくらのなかの一人と決まっているのだ。

ここから出て行こうとする者を憎みながらぼくらは日々を過ごす、もっともどんな脱出も長続きはしたことはない。
我家の裏手には相変わらず暗い血の川が流れていて、
来る年も来る年もぼくらは枯葉と藁をかぶせる、
近所の連中にそんなものが流れているなんて知られるわけにはいかないもの、
目立ったりしたら碌なことはないのだから。

(12 Octombrie 1976)

イオアンは一九五八年にルーマニア北部のマラムレシュ地方で生まれた。このあたりは古い木造教会と牧歌的な風景で知られていて「ルーマニアの桃源郷」と呼ばれているが、右の詩を読むと、共産主義のもとに過ごした彼の少年時代は、むしろ閉塞感に満ちたものだったことが分かる。実際イオアンの第一詩集の題名は『出口なきイェウッド』、イェウッドは彼が大学卒業後に教師を勤めていた同じマラムレシュ地方の古都である。

だが一九八九年、閉塞を根底から揺るがす事態が起る。ベルリンの壁の崩壊だ。ルーマニア革命の三ヶ月前、イオアンは教職もろとも故郷を棄てて、激動の中心である首都ブカレストに駆けつける。革命の当日、彼は皮肉にも独裁者チャウシェスクの宮殿の建設作業員として日銭を稼ぎ、独身寮で寝起きしていたという。

激しい市街戦のなかを右往左往するイオアンの姿がぼくには目に浮かぶ。だが革命は彼にとってどんな意味を持っていたのか。少なくともそれが、ただバラ色のハッピーエンドでなかったことだけは確かだ。

1990年10月12日

四人の男が黙りこくってテーブルを囲んでいる
突然ひとりが眼を醒まして喋り始める
その男は、これまでただの一度も
喋ったことがなかったのだが。

男は馬鹿げたことを口走る、俺だけは
生きているぞ、お前らはみんな死んでいるがな。
だが翌朝になると、男は眼を醒まして、自分が
なんと馬鹿げたことを口走っていたことかと反省する。
そうして金輪際喋らなくなる。
終わりの始まりはゆっくりとしていて、まるで
人生そのものである。

(12 Octombire 1990)

革命後、イオアンは文芸雑誌の校正係として働きながら次々と詩集を発表し、ルーマニアを代表する詩人のひとりとしての地歩を固めてゆく。その人柄は（戌年らしく）シャイで温厚、ルーマニアで会った誰もが例外なく、彼の名前に敬意を示した。だがその作品にはいまもなお、不条理で暗いイオネスコ的な響きが立ちこめている。

火曜日ごとに死が少々、もっとも

生も少々。フェニキア人が運んでくる贈り物は
誰にでも買える代物ではない。

海の民の暮らしについての噂話を我々の土地の者らが
聞き及ぶまでそういう状態が続く。
だがいったん噂を耳にするや、我が部族は陸地を売り払い
海を買うことを夢見るようになる。

フェニキア人が太古の昔に内陸へと消え去ったのは
偶然ではなかった。
そのフェニキア人から海を買った我が部族が
現在姿を消しつつあるのもまた偶然ではないだろう。

だが誰も気には留めない。ゆっくりした昏睡が
この世界ともうひとつの別の世界を包み込んでゆく。
もはや誰も他の者のことを思い出したりしない。まるで我々
ひとりひとりが自分専用の塹壕の底で暮らしているかのようだ。

月に一度か年に一度、誰かがやってきて塹壕の淵から
影を投げかける。我々はそれを神だと信じている。
だがそれはむっつりと禍々しい影に過ぎず、塹壕の底の夜に
さらなる夜を重ねるだけなのである。

(puţină moarte marţea la noi, dar şi)

12

フィオナ・サンプソン Fiona Sampson イギリス

夕暮れの羊飼い

眩しい夜明けが散り散りにした全てのものを、
夕暮れよ、お前は拾い集めてくる。
——サッフォー

お好きなように名づけなさい、
「交響曲」とでも、「精神の意匠」とでも。

木々はこんもりと膨らみ、
光は海に墜ちて
ピューターの色に銀のメッキをかけていますね、
あれをお手本にしてみなさい。
単独でまた集団で、互いにぶつかり合いながら、

絵画的な光のなかで、
ある一つの目的へと向うハーモニー、
だからこそ眼は見過ごしてしまうのです、色調や
明暗の変化を。

*

雨粒が窓ガラスを叩いてゆきます、
いきなり、忘れかけていた恐怖のように、
過去に犯した過ちを
不器用に変形して送り返してくる
あの夢の残滓のように。
　ヴェールの向こうで
午後は何千という滴によって

変容させられ
あらゆる事物の表面が
柔らかに震えながら伸びてゆきます。
この突然の流出を「必要」と名づけなさい。
それは秋の始まりの徴、
亡霊たちの季節、
　あるいは近しい人々の、
あなたが愛する者たちの、季節の始まり。

*

彼らを呼び戻そうとするならば
振り向かねばなりません――
ちょうど影がテーブルの脚のまわりを
ぐるりと回ってくるように

どこかの谷間を見下ろす
陽に灼けた石のテラスの
床の上で。
　あなたは躊躇するでしょう
なにかの境界線上に置かれた生き物のように――

暗がりであれ秋であれ――
人間なら誰だってそうです、光が
消えてゆくことに怯えて……けれどその一瞬もまた
美に満ち溢れてはいないでしょうか。

(Dusk Shepherd)

フィオナ・サンプソンは一九六八年生まれ、すでに十四冊の著作を持ち、最新詩集「Common Prayer」(二〇〇七) はTSエリオット賞候補、英国やアイルランドの新聞やBBCラジオなどに広く寄稿、マケドニア語訳を初めとする九カ国語の訳詩集を有し、英国で最も伝統ある詩誌「ポエトリー・リヴュー」の編集長を務める。
これだけでも大変なものだが、実はフィオナ、詩人になる前はヨーロッパ中を渡り歩くコンサートバイオリニストであり、その後オックスフォードで言語哲学の博士号を取得する傍ら、州政府の委託を受けて各地の刑務所やホスピスを慰問して詩のワークショップを開いていたという。とにかく猛烈に頭のいい人だ。あるとき会話の途中でふと思いつき「あなたは天才と呼ばれる範疇に入るのではないか？」と真面目に訊ねたところ、本人もいたって真面目に「子供の時、そういう認定を受けたことがある」と答えたのだった。

だがぼくがフィオナを尊敬する最大の理由は、その詩作品の革新性である。世界各地の詩祭でこれまで多くの詩人たちに接してきたが、彼女の詩はいわゆる「優れた詩」とは本質的に異なるように思える。この世界に満ち溢れる不可視なエネルギー、樹々の新緑を爆発させる獰猛な生命力、光と音と感覚の向こう側から打ち寄せてくる波動、「優れた詩」がそれらについて巧みに語ってみせるのに対して、フィオナの詩は言語自体をそのエネルギーでチャージしてみせる――舌足らずな言い方しかできないのがもどかしいが、そこに音楽演奏家としての経験、あるいは音楽との訣別が、影を落としていることは間違いないと思う。

13

スーザン・ウィックス Susan Wicks イギリス

スーザン・ウィックスの朗読に立ち合った者は、その詩の内容に負けず劣らず、壇上へ向かう彼女の歩き方に強い印象を受けるだろう。その足取りは地面を踏みしめるようであり、眼はまっすぐ前方を見据えている。微かな前傾姿勢、ぐっと引いた顎、首筋から肩にかけて漲る決意。彼女はこれから彼女の意志によって詩を読もうとしているのであり、何者にもそれを妨げることはできない……

小柄で、一見物静かな外見の下に強い意志の力を感じさせるその印象は、スーザンの書く詩にも通じるところがある。それは情緒や言葉あそびへ流れることを自らに禁じ、あくまでも目の前の現実を直視する。現実の豊かさを掬いあげながら、同時に現実の醜さや残酷さを除去しようとはしない。

ルームサービス

ここのホテルの従業員たちは
美形ゆえに雇われている。慎み深く
行ったり来たり、軽々と片手に掲げたトレイには
汗をかいたグラス、ピーナッツ、サン・ミゲルのビール

ピアノ弾きは鍵盤の上でうっとりしている、
アーモンド型の目を半ば閉じて。

蘭の花の向こう、屋外では、
パイナップル、パパイヤ、椰子の木が
夜の窓ガラスに開いた指先を押しつけている
餓えた子供のように。九階上の
わたしのベッドの向こうから、バスローブが
平べったい腕を差し伸べる。ホテル備え付けの抱擁。

息詰まらせながらわたしは受話器に囁く…
オムレツ、アスパラガス…運んできたルーム係の男に
チップを弾みすぎてしまう。次の日の晩、わたしは気付くのだ
電話が手元に引き寄せられ、メニューが
枕の上に開かれているのを。そして思い出す
あのルーム係の形のよい唇が、慇懃深く、動いたことを
「おひとりですか?」

(Room Service)

スーザン・ウィックスは、一九四七年英国ケントの生まれ。現在もケントに住んで地元の大学で創作を教える傍ら、これまでに五冊の詩集と二冊の小説、そして「Driving My Father」という回想録を出版している。大学ではフランス文学を学び、アンドレ・ジイドで博士論文、今年春にはフランスの詩人 Valérie Rouzeau の英訳詩集を上梓する予定だ。

ぶり返し

「ちょっとぶり返しただけ、大丈夫よ」死とは
こんな感じなのだろうか。窓の向こうの
裸の木々、初めて目にするような
朝陽の縞模様、蒼ざめた
地上。口が利けない、言葉が
尿のようにこぼれてゆく、口蓋が
舌の先でふにゃふにゃしている、ぼんやりと
看護婦を待ちながら、私は目覚めたままで鼾をかいている。

その時だ…どこかで…なにかが…この鳥、
あの小枝。「心配ないよ」母の
優しい声、いや娘だったかな、その淡い響きとともに

一瞬にして世界が蘇る。窓を掠める
羽ばたき、その羽根の炎の色、それから枝が
宙に弾んで、鳥は消える。あれはフィンチだった。

(Setback)

これら二篇の詩を、ぼくは数年前に開かれたカナダでの詩祭の期間中、作者であるスーザンと一緒に、一行ずつ、まるで英文読解の演習でもするように読んでいった。「ルームサービス」はフィリピンで開かれた文学者会議に参加したときの、そして「ぶり返し」は危篤に陥った父親を看病していたときの、それぞれ実際の体験に基づいているのだが、詩のなかの一語一語の背後には、膨大な現実の細部が控えていて、たった二篇を読むだけに数時間を要したのだった。淡々とした口調で語り続けるスーザンを前に、ぼくは詩だけが持つ「凝縮の力」ということを感じざるを得なかった。

それから一年ほど経ってロンドンに滞在したとき、スーザンはぼくを夕食に招いてくれた。閑静な住宅街の、整然たる室内、社交的な夫君とケンブリッジで文学を学ぶ一人娘。いかにも英国的な現実の堅牢さが、詩人を取り囲んでいた。

ロンドン

何マイルもの道のりだが彼は歩いてゆくのである
足なしで、骨まであとに残して。
お金は銀行。笑顔はピンク色のプラスチックのなかで眠っている。

もう思い残すことはなにもない。窓は大きく開いている。
モルヒネ貼付剤の残りを
シミのついたハンケチに包んで端を結び
肩から担いだ格好のまま、彼は後ろを振り返る
そしてもう一度振り返る、鐘の音に何事か話しかけられて。

(London)

14

アダム・ザガイェフスキ　Adam Zagajewski　ポーランド

狭いアパートの一室で

父に尋ねる、「毎日なにをしているの?」
「思い出しているんだ」

グリヴィーツェの埃っぽい小さなアパート、
街はことごとく兵舎のごとき外観を有しているべきで
部屋は狭ければ狭いほど陰謀策略を阻止するのに好都合だと言い放つ
あのソビエト式の背の低い棟の一角で、
古めかしい柱時計が疲れたそぶりも見せずに行進を続ける傍らで

父は毎日のように一九三九年の穏やかな夏を生き直している、
風を切って墜ちてくる爆弾と
ルヴフの町のイエズス会庭園、カエデの
若葉とトネリコと小鳥たちで光り輝くようだった、
ドニエストル川を下るカヌー、柳の木の匂いと濡れた砂、
法学部に通う娘と初めて出会ったあの暑い日、

貨車に乗り込んで出発した西への旅、国境の果て、
学生たちは二百本の薔薇を差しだした
一九六八年の運動にあなたが協力したことへの感謝のしるしに
そして私が決して知ることのない数々のエピソード、
私の母とはならなかった娘との口づけ、

恐怖と幼年時代のスグリの実の甘さ、私がこの世に生まれてくる以前の
静かな深淵から湧き上がってくる幻影。
父よ、あなたの記憶があの静かなアパートのなかで働いている
——無言のうちに、一番最初から順序立てて、あなたはほんの束の間
蘇らせてみせる、あなたの生きて来た
痛みに満ちた二十世紀を。

(W Małym Mieszkaniu)

一九四五年、右の詩にも登場するウクライナのルヴフに生まれたアダム・ザガイェフスキは、ポーランドの古都クラクフで育ち、七〇年代初頭には反体制若手詩人、いわゆる「ニューウェーブ」の中心的存在となる。だが七〇年代後半になると、彼の詩には政治的状況よりも個人的・実存的状況がより大きな意味を持ち始める。八二年にポーランドを離れてパリ、そして米国で暮らし始めたとき、それがいわゆる「亡命」などではなく単に「パリの街が好きだったから」と云ってみせたのは、自分の

作品を狭い「亡命文学」の枠組みに押し込めず、普遍的で純粋な詩の領土において受容して欲しいという意思表示でもあっただろう。

そのような国外生活は、しかし、アダムを地理的に孤立させるだけではなく、精神的な「連帯」からも切り離し、深い孤独を齎したはずである。あるインタビューのなかで彼は自殺を企てたことがあると明かしているが、当時の作品にもその絶望の影が見え隠れしている。ぼくが初めて彼の詩を読んだのは二〇〇二年、ワルシャワからクラクフへ向う車中でのことだったが、そのときぼくは後年自分がその詩人に会うことになるとは夢にも思わなかったし、彼の名前がノーベル賞候補として挙げられていることも知らなかった。作品から受ける印象には、どこか、忘却の彼方から響いてくる死者の声とでもいうべきものがあったのである。

実際にはちょうどその年、アダムは二十年におよぶ国外生活を切り上げて、故郷のクラクフへ戻り、シンボルスカやコジオウの後に続く代表的ポーランド詩人として活動を始めたのだった。去年の夏、数年ぶりで会ったアダムは闇よりも光を語ることに忙しかった、たとえば次の詩のように——

詩は明るさの探求だ

詩は明るさの探求だ、
詩は王者の道だ
一番遠くまで私たちを導いてゆく。
私たちは明るさを探し求めている、灰色の時も、

正午も、暁の煙突のなかでも、
バスに乗っているときでさえ、十一月、
うたた寝する老いた司祭の傍らで。

中華料理店のウェイターが突然泣き出して
その理由は誰にも分からない。
あるいはこれもまた私たちに課せられた探求なのか、
海辺にいたら、不審な船が沖合に現われ
間近までやってきて停止し、長い間じっと碇泊していた時のように。
深い歓びの瞬間や

不安のうちに過ごした数知れぬ時のように。
見させてくれ、と私は頼む。
続けさせてくれ、と私は言う。
夜には冷たい雨が降る。
私の街の路上で
闇は無言のうちに働き続けている。
詩は明るさの探求だ。

(Poezja Jest Poszukiwaniem Blasku)

(翻訳・つかだみちこ＋四元康祐、解説・四元)

15

サラ・ウィンゲート・グレイ Sara Wingate Gray イギリス

私は旅する詩歌移動（ひとり）図書館

二〇〇六年五月このかた、詩歌移動図書館司書は詩書の山を引き摺って、ひとの家のソファで寝泊まりしながら、世界各地を巡りつつ、そこで出会った新たな詩を記録・収集し、詩人たちの肉声を録音しているのでありました……

かく言う私がその本人。これまでに十一カ国二十一都市を訪れて、百五十カ所以上で即席の無料図書館を開催してきた。最初は背中にしょったリュックだけだった詩書が、いまでは大型スーツケースふたつ分に。あとは生きてゆくのに必要最小限の荷物だけ。三年前に全財産を処分して、英国ノリッジの街を出て以来、そんなカタツムリの旅が続いている。それを溯ることさらに三年、二〇〇二年二月に、私は故郷ノリッジで「詩の小部屋」と称する図書館を始めた。学校を回って詩のワークショップを開くなど、各種の詩のイベントを開催する非営利団体でもある。

詩歌移動図書館はその延長上に生まれたものだが、これは固定した場所を持たぬ行為そのもの、サービスというよりもパフォーマンスであり実験なのだ。詩を人間の交流、知の特異な形態と捉え、この消費主義社会の内部に、詩の特別区を出現させること、それがこのプロジェクトの目的だ。「リミナリティ」——即ち匿名的で、特権や私有物を持たず、かりそめの様式と秩序に従い、人間関係においても空間的な環境においても、固定化されず流動的であること——そもそも図書館という場所にそういう性格が備わっているのだが、これを移動させ、しかもたった一人のパフォーマンスとすることによって、仮設性はより強調され、ポスト・フェミニズム（Luce Irigaray）やポスト構造主義（Michel Foucault）が言う意味での、知と経験と実践の異種配合が加速される。すなわち事物の違いよりも、異なった事物が時空を超えて、いかに出会うかが本質的な問題となる。そう、詩歌移動図書館の司書たる私は、いつも周縁をさまよっている、最近会員になったあるひとの言葉を借りるなら、「事象の地平線」を求めているのである。

駅のホームでも、公園のベンチでも、詩祭会場の入口の階段でも、私はどんなところにでも詩歌図書館を出現させる。それは文字通り「リミナル」（境界線上の）な存在なのだ。当図書館に収集されている書物もまた、詩という本来は声だけで文字にならない儚い存在、出版産業の端っこで細々と生き延びる希少な種族。そういう詩のなかでも特に、私が「遺失物」と呼ぶ類いの詩書、たとえば英国で最初のサウンドポエット、ボブ・コビングの詩集なんかを取り扱っている。もうひとつ重要なのは、旅を続けるにつれて、どんどん外国語の詩書が増えていくことだ。我が図書館はまさに移動する国境線、多様な言語を掬い取ってゆく。

それにしても詩とは何なのか。私が詩を運び、人々がそれを読むことにどんな意味があるのか。三年間さまよい続けたいま、ようやくその答を掴みつつある。詩の根本は「真実を言い明かすこと」にあるようだ。世界中どこへ行っても、人が詩を必要とするのは人生の歓喜の極みか、逆に絶望のどん底にあるとき。何故なら詩だけが、言葉では言い表すことのできない幸福や悲しみや痛みや慰めや善意を伝えてくれるから。詩だけが、人を人生という囲いの外へ連れ出し、存在の限界を乗り越えさせて（transcend）くれるから。

実際のところ、誰にでもピアノが弾けたり、66564の平方根を暗算できる訳ではないように（答は258です、念のため）、普通の人には心のうちに湧き上がる感情を存分に言い表すことはできない。だからこそ私たちには詩が、そしてその兄弟分である音楽が必要なのだ。もの言はざれば腹膨れ、腹膨れれば歩けない。だが生きている限り、私たちは歩き続けなければならない。

人々が私の詩歌移動図書館と出会うとき、それをアート・パフォーマンスと見なすにせよ、実際の図書館として使用して詩書を読むにせよ、自らの人生や自分が属する共同体や文化圏を、より大きな文脈に置き直してみるきっかけとなるようだ。書物を読むという行為の根源にそのような促しが内在しているのだが、詩書、とりわけ他国の詩を翻訳を通して読むということは、まさにそのような省察へと私たちを導き、個人として成長させると同時に、互いの理解を深めてくれる。詩人ルイーズ・グリュック（Louise Glück）曰く「詩の齎すものは、触れ合うこと、それも最も親密な触れ合いです。詩は物質としてではなく経験として持続します。心に刻まれる文章に出会ったとき、人は人間の声を解き放っているのです。世界中に連帯の精神を注ぎ込むのです」。

私たちの社会は物質的な繁栄と引き換えに、生の実相を見ないで生きる道を選びつつある。私たちはもはや「市民」ではなく、単なる「消費者」に成り下がってしまった。情報は商品と化し、金を持っていればいるほど高度な情報が手に入る。そしてこの社会では、情報すなわち権力、健康や快楽を手に入れたり、他人を支配するための手段なのだ。私が行なっていることは、画一的に商業化された社会に対して、警鐘を打ち鳴らし、威嚇のホラ貝を吹いてみせること。もう少しお手柔らかな言い方をするならば、公立図書館への賛美歌を歌ってみせること。何故なら私にとっては、公立図書館こそ、そのような社会へのアンチテーゼであり、理想的な共同体のモデルなのだ。

図書館では、誰もが匿名的であり、金銭の多寡や社会的な身分とは係りなく、平等に情報を手に入れることができる。しかもその情報は決して私有されることがなく、みんなと分かち合い、何度も繰り返しリサイクルされるのだ。英国の公立図書館法は一八五〇年に制定されたが、それは知の市民革命に他ならなかった。

移動図書館プロジェクトを実践しながら、図書館学を学ぶために、私は全存在を賭けてきた。具体的に云うならば、定職を投げ打ち、定住地を持たず、家族や友人に会えるのは年に一度か二度だけで、世俗的な家具財産贅沢品とは無縁に、一日平均一ユーロほどの予算で、なんとか生き延びてきたのである。結果として私のライフスタイルは、この消費時代においては極めてユニークで、オルタナティブなものになった。それはリサイクル型で、オーガニックで、解放系にして相互交換方式であり、共生的なフリーシェアリングを特徴とし……いや、もって回った言い方は止めよう、私は時には残飯を漁って餓えをしのぎ、いつも他人のオンボロソファで寝起きしているのである。伊達や酔狂でそうしている訳ではなく、ひとつでも多くの場所で、詩の移動図書館を開こうとした結果、自然とそうなったのだ。そこから私が学んだこと——それは、そんな風にしてでも、ちゃんとやって行けるということだ。他の人に私と同じ貧乏暮らしを強いるつもりは毛頭ないが、理想の実現のためなら、こういうやり方もあるということは是非知っておいて欲しい。為せば成るのだ。そして何よりも大切なのは、そうやって実現してきた詩の移動図書館プロジェクトが、着実な成果を収めているということだ。

現在、移動図書館の会員は千人近く。つまり私は世界中で千人の人々に詩を届けてきたというわけだ。そのなかには深い絆で結ばれ、生涯の友人となった人も少なくない。何人もの人が、私のやっていることを知って、「励まされた」とか「物の見方が変わった」と言ってくれた。私自身が、未知の場所をくぐり抜けて視野を広げ、自分自身を変革し、未来のあるべき姿について明確なヴィジョンを獲得することができた。それは私の人生において疑いなく最高の出来事であり、その前ではどんな苦労も報われるのだ。

さて、これから私は何をすべきか？　図書館学の権威であるインドのS. R. Rangathan氏は、「図書館とは成長する有機体である」と述べている。そう、私たち自身が変化を運命づけられた有機体であることを肝に銘じよう。当然、私のプロジェクトも変貌を遂げてゆくだろう。近い将来、私は図書館学の博士過程に入ることになりそうだ。夢は、単に図書館学を研究することではなく、その精神をより大きな社会の枠組みのなかで実践してゆくことだ。未曾有の経済危機に覆われた今こそ、私たちは世の中の仕組みを根本的に見直し、変革してゆかねばならない。

利潤の追求や市場の論理に基づいた社会だけが、万人に明るい未来を齎すと言われて育ってきたが、私は昔からそれがまやかしであることを見抜いていた。今、私の周囲で、人々は途方にくれ、希望を失い、行き場のない恐怖と怒りを抱えて立ちすくんでいるように見える。その姿はどこか、私が「遺失物」と呼んでいる、私のスーツケースのなかの詩書に似ている。かつての私自身がそうだったように、彼らは忘れられ、置き去りにされたと感じている。

けれど今、私は詩歌移動図書館の司書として、詩と人間精神の復権の旅を続けている。いつか私はあなたの住んでいる街にも行くでしょう。そうしてあなたに一冊の詩集を差しだすでしょう。どうかその本を受け取ってください。私と力を合わせてください。詩を仲立ちとして、一緒に未来を築こうではありませんか。

16

ニコラ・マジロフ　Nikola Madzirov　マケドニア

書くひと

君は書く。すでにそこに在るものごとについて。
するとみんなは君が夢を見ていると云う。

君は口をつぐむ。密猟者の投げかける
網のように。夜がなにを連れてくるのか知っている
天使のように。

そして君は旅立つ。忘れ去ってしまう、
ふたたび帰ってくるために。

書くことで、君は記憶から消してしまおうとする
石のこと、海のこと、両手を
広げたまま眠りにつく信者たちのこと。

(ОНОЈ ШТО ПИШУВА)

影に越される

ある日僕らは出会うだろう、
紙の小舟が
川底で冷やされている西瓜と出会うように。
この世の不安は
僕らと共にあるだろう。僕らの掌が
太陽を遮り、僕らは提灯を手に
互いに近づいてゆくだろう。

ある日、風は
向きを変えないだろう。
樺の木は落葉を送り出すだろう
玄関先に並べられた僕らの靴のなかへと。
狼どもは群がるだろう
僕らの無垢に。
蝶々は残してゆくだろう
麟粉を僕らの頬に。

老婆は語り継ぐだろう
僕らの身の上話を朝毎に待合室で。
今こうして僕が話していることだって
とうに語られたのだ。僕らは風を待っている
国境を挟んだ二本の旗のように。

ある日すべての影が
　僕らを追い越してゆくだろう。

(СЕНКИТЕ НЀ ОДМИНУВААТ)

我が家

僕は町のはずれに住んでいた
誰にも切れた電球を代えてもらえない
哀れな街灯さながら。
壁と壁とをクモの巣が繋ぎ合わせ
汗が手と手を繋いでた。
僕はテディベアを匿った
無造作に積み上げられた石垣の穴のなかに

彼を夢から護ろうとして。

昼も夜も僕は敷居を蘇らせた
敷居はミツバチのように戻ってきた
いつも同じ花へと戻ってゆくミツバチだ。
なんとも平和なころだった僕が家を出て行ったのは。

齧られたリンゴには傷ひとつなく、
手紙に貼られた切手のなかには古い廃屋。

生れ落ちるや否や僕は静かな土地へ移り住み
足元には空無が纏わりついていた
自分の属するべき場所が地上なのか空中なのか分らぬまま
ふわふわ漂う雪のように。

（ДОМ）

時計の針

君の幼年時代を
フォトアルバムから相続せよ。
沈黙を移動せよ
空飛ぶ鳥の群れのように
伸びたり縮んだりする沈黙を。
不揃いな雪玉と
生命線に沿って流れる雫を
両手で掴め。
祈りを唱えよ
閉じたままの唇の間から——
言葉とは植木鉢に落ちこんだ種子である。

沈黙は子宮のなかで習得される。

生まれ出でよ
真夜中を過ぎたばかりの長針のように
すればすぐさま秒針が君を追い越してゆくだろう。

(СТРЕЛКИТЕ ОД ЧАСОВНИКОТ)

飛行

町に霞はたなびいている
遠くの壁画の
こうべを垂れた聖母のように

パラボラアンテナは
天使に話しかけている
明日の天気を決めようとして—
よく晴れた、事もなき、意味ありげな一日
カレンダーに印刷された
赤い日付のような

だが夜が事物の影を壁に寄せ合わせるやいなや
君は梢目指してこっそり逃げ出してゆく
お札の裏に透かし彫りされた
珍しい鳥のように

(ЛЕТАЊЕ)

何をすべきか？

理由や目的を持たずに生きること、
愛から逃れてきた
加害者を抱きとめること、
廃墟と化した墓場からロウソクを拾い上げ
無風の瞬間に
ひとことふたこと呟くこと、
この世の錆びついた扉を押し開けて
軽やかな足取りで旅立つこと。
己が心臓に突き刺さった
時の衝立から快癒すること。

(ШТО ТРЕБА ДА СЕ НАПРАВИ)

我々に帰属しないいくつかの町

見知らぬ町で
我々の思念はさ迷い歩く
忘れられた軽業師の墓のような静かな足取りで。
犬どもはゴミ箱に向かって吠え立て雪片は

その中に降りそそぐ。

見知らぬ町で我々は目立たない
ガラスのなかに密閉された透明（クリスタル）な天使のように、
すでに崩壊した瓦礫を
再び配置し直すだけの余震のように。

(ГРАДОВИТЕ ШТО НЕ НИ ПРИПАЃААТ)

わが身のあらゆる傷痕から

私は一個の乞食である、己に情けを
乞うほどの勇気とてない。
満たされぬ愛撫のひとつひとつ
測られぬ額の体温のひとつひとつそして
不法な愛の発掘現場から皺と傷とが滲み出して
わが掌で交叉する。

わが身のあらゆる傷痕から
真実が迸る。

私は日とともに育ち衰える
なにも恐れず
この世の始まりの深みへと駆け寄ってゆく、
そのとき万物は運動している――
石は家となり
岩は……　一粒の砂と化す。

私が呼吸をやめると
わが鼓動ひと際高く鳴り響く。

(ОД СЕКОЈА ЛУЗНА НА МОЕТО ТЕЛО)

ふたつの月

少女は自分の似姿を見る
輝く市壁のうちに。
その目にはふたつの月が宿っていて
そのまなざしは既に知り尽くされた世界の両端を
結び合わせる。
その頭上には影がうごめき
屋根を苔で覆っている、

その足元では土地固有の種属が滅びてゆく
孤独のゆえに。
その唇とあばら骨の
がらんどうから
夜ごと光は溢れでる。

(ДВЕ МЕСЕЧИНИ)

沈黙

この世には元々沈黙など存在しなかった。
あれは僧侶らが発明したのだ
毎日馬の蹄の響きが聞こえるように
翼から羽根が抜け落ちる音が聞こえるように。

(ТИШИНА)

ニコラ・マジロフは一九七三年マケドニアの東部ストゥルミカで生まれた。九九年に処女詩集『Locked in the City』と『Somewhere Nowhere』を相次ぎ発表、二〇〇七年、三冊目にあたる『Relocated Stone』で権威あるヨーロッパ Hubert Burda 文学賞を受賞し、欧州詩壇で一躍脚光を浴びた。『Relocated Stone』〈転地された石〉とはニコラ自身のことでもある。彼の祖父母は現在はギリシャに属する旧マケドニア領に住んでいたが、二国間の紛争の結果土地を追われマケドニアの内奥に「転地」を余儀なくされた。それまで一族の名前は「石像のごとくどっしりした」を意味する Stamenov

であったが、移り住んだ先で彼らはMadzirovと呼ばれるようになったという。この語は本来異教徒に対して用いられる「余所者、流民」の蔑称なのだそうだ。

賞の選考委員であるアダム・ザガイェフスキーはニコラの詩を「印象派の絵画のようだ、想像の世界から色鮮やかに迸り出るかと思いきや、自動車のヘッドライトに照らされた夜行動物さながら消えうせる」と評したが、ここに訳出した作品からもそのあてどなさや寄る辺なさが感じられるだろう。だが目に見える現実の不確かさと引き換えに、ニコラは現実の背後にひそむ超越的な世界を深く信じている。たとえそれについて書くことが、他人の目には「夢を見ている」(「書くひと」)と映るとしても、その世界を追い求めることを自分の天職として引き受けている。彼の詩が時に何世紀にもわたる蝋燭の煤に汚れたイコンの前で唱えられる祈祷に近づき、彼自身が「一個の乞食」にも似た孤独な求道者の気配を漂わせているのは、そのせいだろう。

現在ニコラはミュンヘン郊外の芸術家村に逗留しており、おかげで私たちは四年ぶりに再会することができたのだが、人里離れた湖のほとりで執筆に専念する彼を見ていると、リルケに代表されるヨーロッパ詩人像のひとつの原型が浮かび上がってくる。本稿の日本語訳はいずれもその湖畔で、Peggy&Graham W. Reedとmagalalena Horvat & Adam Reedによる英訳版の『Relocated Stone』を定本としつつ、作者本人との対話を通して進められた。

17

ヴェロニカ・ディンティニャーナ Veronika Dintinjana スロベニア

大聖堂のライオン像

雨風や暑さ寒さに
安物の大理石が侵食されて
まるで波頭のよう――束の間
形象をまとい
次の瞬間にはもう
　泡沫(あわ)に溶け消えてゆく

石のライオンたちは微笑んでいる
きっと自らの消失を予感しているのだ

(Cathedral Lions)

聖フランシス

空に向かってまっすぐ背を伸ばして
一本の木となるために

選び抜かれた雨とほぐされた土に充たされて

風になにが出来て？
咲き誇る花びらであなたが身を装うとき

唯一無二であることがあなたの笏

銀貨も金貨も
食卓やベッドになるために
自らの体を捧げ出すことはなかった

小鳥たちがあなたの頭上の冠で眠りにつくとき
あなたはそっと息をひそめる

御言葉のアルファベットを沈黙に取り替えて

(St. Francis)

病室の窓から、一羽のツバメが

ボク、死を見たよ
死は、あのオジさんのベッドの端に腰を下ろして
スリッパを脱いでいたよ
それから死がベッドの上に横たわると
オジさんの血圧は下がって
顔色が白くなった。
オジさんの目、怖そうに見開いてたよ。
ボク、窓から飛び出した。だって
ボクはオジさんが生きていたときを知らないからね
死んでゆくところも
知らないほうがいいと思ったんだ。
三十ぷんほど経ってから、ボク、病室に戻ってみたよ
枕元に食べ残されたお昼ごはんの
パン屑を目当てにね。

(Sparrow, Through a Hospital Window)

市壁の門にて

もうひとりのヴェロニカが買い物に出かける
財布にセステルティム貨幣を詰め込んで。

天気のよい朝だ、空には雲ひとつない。
商人は彼女に藍色の絹布を売りつけようとする、
ついでに木綿も値引きするからと。

ふたりは天気のことなど世間話をする。
ここのところずいぶん雨が降らなかったら
セドロン川がだんだん干上がってきて
泥の川みたいになってしまったとか
ガリレア湖から魚が獲れなくなって
塩の値段も上がってきたとか。

彼女は木綿を買う、
その年の夏は日照り続きで、牧草は育たず、
その翌年の冬は冷え込むだろう。

肉料理に使うためのセージとラディッシュも買っておこう。
あとアーモンド一袋と、祭日用の
油。そして亜麻布。

取締りが強化されている。辻ごとに
兵士が立ち、広場という広場には検問が張られている。

市壁の門では、警官が
買い物籠の中身をぜんぶ点検するが
亜麻布には手をつけない。

亜麻に、麻を織り込んで
サボテン草の根で漂白した布。
幅広で、細かな肌理、テーブルクロスには足りないが
シャツなら二枚とれる。

彼女はこの亜麻布を、
然るべき用途に使うだろう。

後年、孫たちは、おばあちゃん、どんな風だったのと尋ねることになるが
彼女はなにもかも覚えているだろう、メートル当たりの値段も
あの年の春の香りも。

(At the City Gate)

家の前に生えているオレンジの木は、天頂に

枝の間の風に不在と
人気ない午後に耳を澄ます

三つのもののために　窓の雨戸を開け放ち
四つのもののために扉を閉ざす

鍛冶屋が水につけるたびにシュッという音をたてる月の輝き
太陽に顔を覗きこまれて青ざめる朝
頬を染めて夜に入ってゆく昼、そして敷居——
その表面を磨きあげた足はもはやなく、ただ花びらが散っているだけ

三つのものは天空に昇り

四つのものはどんな物音もたてぬまま立ち去ってゆく
電球のなかではじけ飛ぶフィラメント
気をとられている間に頭の中から消えてしまった詩の一行
半ば開いた窓から冷気が流れこみ
食卓の上に夕食が現れる

四つのものは理解を越えて
三つのものは忘れられない

海岸の丸い石　その石のおかげで子供の私は
どっちの膝が右でどっちが左か、道のどっち側がどっち側なのかを
覚えることができたのだった
膝の傷の痛みは一瞬私を包みこみ次の瞬間には消え去っていた
夜毎夢に見る優しい海は扉の前で私を待ちうけ
昼になると鴎やその他の使者を送って意味を探りだす

そして木は地平のかなたに沈んでゆく――
どちらが静止していて　どちらが回転しているのか

影の長さで私たちは空の方角を知り、
歩幅によって夜の長さを知る。

(The Orange Tree in Front of the House is in the Zenith)

剥き出しの時間

剥き出しの時間は下がっていった、
病院へ、懺悔室へ、寝室へ。

それは死に近しく、
八方塞で、一時的にせよ尊厳を奪われた状態だから。

強制された親密さのもたらす気まずい沈黙とか、
陶酔とか麻痺の状態を利用して
言葉を裏切ろうとするものだから。
ペーパーナイフのように

日常の腹を

切り裂き
生きていることの実感を
取り戻してくれる
言葉たちを。

(What Time Are These)

自動呼吸の練習

そしてまた　書き継ぐ
朝に、夕に、
自動筆記の練習をする
一連の思考と比喩
自由奔放に
持続への野心も持たずに

詩は　縊られた男を知らない
死んだ親戚も
愛人や花々や草むらの
鞣された皮膚も知らない、

奪い取られて
空っぽの

失敗に終わった蘇生の試み
肋骨や胸骨と違って
ページは手の下で砕けたりしないし
本は死後に腐臭を放ちもしない
本はただ埃をかぶるだけ
コーヒーとかお茶の染みをつけられるだけ

人は誰も皆かけがえがない
夜、みた夢の　意味するものが朝、
顕わになる——　コツは他から抜きん出ようとするのではなく、もっと素直に
誰かにとってかけがえのない存在となること
トスカーナへ行く必要はないし、別に夏でなくてもいい、
たとえ持続しなくたって構わない

けれどそれが一番難しいこと、だから重ねる
一息一息　練習を

(Exercise in Automatic Breathing)

ヴェロニカ・ディンティニャーナは、年のころ二十代後半だろうか、二〇〇二年に「最優秀若手詩人」に選出され、二〇〇八年に出版した処女詩集で二つの文学賞を勝ち得た、現代スロベニア詩壇のルーキーと言うべき存在である。彼女はまた駆け出しの外科医でもあって、病院勤めは大変だが、宿直の夜には詩作や読書が捗ると語っていた。ここに訳した作品のいくつかは、日常的に死と接している医師としての経験から生まれたものだろう。

ヴェロニカの詩のもうひとつの特徴は宗教性だ。スロベニアはイタリアとオーストリアに南北を挟まれたカトリックの国である。自分と同じ名前を持つ聖女ヴェロニカ（処刑場へ連行されるキリストの顔を亜麻布で拭いた）やアッシジの聖フランシスを題材とした作品などは、一見アイルランドの詩人の作かと見まがうが、彼女は実際にアイルランド現代詩が好きで、アンソロジーの翻訳までしたのだそうだ。そういえば二つの国には宗教だけではなく、風土や文化においても共通するところが多い。「大聖堂のライオン像」に見られる無常観、「病室の窓から、一羽のツバメが」の切れ味のよい軽みなどは、我々日本人の詩的感覚にも近いのではないだろうか。

ヴェロニカはまた大変な読書家でもある。今年の六月、イタリアとの国境に近いスロベニアの田舎町に約一週間ひきこもって互いの作品を訳しあったとき、彼女は古今東西のさまざまな詩作品を引き合いに出しながら、自作について実に的確に語ってくれた。知識だけではなく、鋭い批評性が伴っていればこそできる業である。こういうタイプの詩人は絶えず自己を変革し、息の長いキャリアを実現できる筈だ。近い将来「若手」という修飾語を脱ぎ去って、ヴェロニカ・ディンティニャーナがスロベニアを代表する詩人となることを私は確信している。アイルランドやポーランドと並ぶこの小国の詩的水準の高さを考えるならば、それはとりもなおさず現代ヨーロッパを代表する詩人ということになるだろう。

18

スタニスラフ・ルフォフスキー Stanislav Lvovsky ロシア

がやがや

斜め向こうの
席に座っている
女が
苛立ちを隠せない様子で
赤ワインを飲みながら
口をぱくぱく
身を屈めたウェーターの
耳元で
なにやら囁いている

俺のすぐ前では
「ねえ、信じられる?

あたし、事務所の鍵を忘れちゃったのよ
おかげで朝っぱらから
締め出しくらって
みんなでドアの前に突っ立ってたわよ」

ロシアン・ラジオFM局から
ポップソングが流れてくる
「どうすりゃいいのさ?」
若い奴が訊ねている
「どうすりゃいいのさ?」

俺にはこの顛末が分かっている
我々みんなが変えられるのだ
ほかの何者かに生まれ変わるのだ
チャウチャウに
ウサギに　アザラシの赤ちゃんたちに
イルカに

それでもまだ熱い血は流れているが
もはや言葉では喋れない

そこで
しばしじっと黙っている

(ШУМНО)

無題

写真を見ながら
あいつは云う（つくづく寂しげに）
「この飲み屋、もうないんだよなあ」
俺は答えて「あそこにはなんにも
残っちゃないさ
残っているのは言葉だけ
名前だけ
それにしたってもう誰も
どこにアクセントがあったのかさえ
覚えちゃいないんだよ
なのに、お前ったら
あの飲み屋が恋しいだって？」

それでもあいつは
写真を見つめたまま「でもなあ
ここで初めて
会ったんだよ、俺と
Lyuda は」

＊

窓に顔を向けて彼女は言う
「ほかに何が欲しかったっていうのよ？」

彼には答えることができない。
欲しいものはなにもかも手に入った。
なのにそこは空っぽだった。
それがいまでは空っぽ以下になってしまったのだ

＊

ねえ信じられる？　と彼女は云った

いままで誰ひとりとして
面と向かってあたしに言った人はいなかったのよ
「あんたとおまんこしたい」って
ぼくは微笑んで彼女の髪の毛を撫でながら
云った「あんたと
おまんこしたい」すると彼女は
にっと笑い返した

ぼくらの人生は　些細なことばかり
それをマトモなやり方ではなく　ロシア独特のやり方で
どうにか寄せ集めてはいるけれど
「ぼくは君と
恋に落ちたいと願っています」
なんてロシア語だろうが何語だろうが
言えやしないって

ぼくらはベッドへ行って
おまんこして　そのままぐっすり眠りこむ
もしも朝になっても

シャワーを浴びずにいたら　半日たったあとでも
残っていてくれるだろうか
君の匂い、せめてそれだけは――

＊

まだなにひとつ手遅れではない世界に
僕は生きていたいよ
はっきり云って
それだけなんだ
今の僕にとって
本当に意味のあるのは

スタニスラフ・ルフォフスキーは一九七二年生れ、モスクワ在住のロシア詩人である。処女詩集『ホワイト・ノイズ』（一九九六）を皮切りに三冊の詩集と三冊の短編集、チャールズ・ブコフスキーを初めとする英語圏の詩作品のロシア語翻訳、さらにはウェブ雑誌に人気の文芸コラムを連載するなど旺盛な執筆活動を繰り広げている。

一九七二年生まれといえば、ソビエトの共産主義体制が崩壊したとき彼は十八歳、ちょうど高校を卒業して大学に進む時期にあたる。物理学者の父と教員の母の間に生まれ、自身も堅実にモスクワ大学化学部へ入ったスタニスラフが、卒業とともに広告やジャーナリズムの世界に身を投じ、ついには物書きとなってしまった背景にも、時代の激動が大きく関わっている。

スタニスラフの仕事振りを間近で見ていると、いかにも新しい自由なロシア世代の詩人という印象を受ける。たとえば彼は翻訳を行う際にも、ほとんど紙媒体を使わない。原典も参考文献もいったんウェブ上の個人サイトにアップして、画面上でそれを見ながら仕事を行うのである。暇ができるとすかさず携帯でブログの更新を行うし、パソコンには頻繁にスカイプの電話がかかって来る。

前号で紹介したスロベニアのヴェロニカもそうだったが、いわゆる「西側」の文学に対する知識欲も極めて旺盛だ。ロマン主義詩人からジョン・アッシュベリーなど同時代の詩人までよく勉強していて、ほとんどどんな名前が出ても積極的に議論に加わってくる。そこには渇いた者が水を求めるような切迫した欲求が感じられる。彼自身が特に好きでロシア語にも訳しているのは、前出のブコフスキーのほか Vitautus Pliura や Diane Thiel、そしてソングライターの Leonard Cohen など二十世紀アメリカの詩人たちだが、彼が詩人としての活動を始めた一九九〇年代のモスクワの若者にとって、そのような「アメリカ」が、目の前の現実に拮抗するひとつの理想郷として映っていただろうことは想像に難くない。

スタニスラフは共産主義体制のもとで過ごした少年時代を振り返って、「とにかく暗くて重苦しい日々だった」と言う。「父も母も昼間の職業だけでは食べていけず、夕食のあと別の仕事に出かけていった。ふたりとも疲れきっていた。未来への希望もなく、ただどうにか暮らしているというふうだった」そしてロシアの詩人たちは現在の社会的状況にうんざりしているものの、自分のようにソビエト時代を知る者には「それでもあの頃よりはましだ」という感慨を拭い得ないのだと。

そのようなスタニスラフの書く詩から、アメリカのビートジェネレーション風なドライな文体とともに、まぎれもないロシア性が感じられるのは興味深い。自らが置かれた状況の悲惨さあるいは馬鹿馬鹿しさを突き放してみせる醒めた眼差し、そこから自ずと生ずるアイロニーとユーモア、その陰影のかなたから控えめに伝わってくる濃い感情、地に足のついた、それでいて半ば夢見るような「人間らしさ」――ここに訳出したわずかな作品からもそれが分かるだろう。

「君の詩を読んでいるとチェホフを思い出すよ、彼が書いたあの無数のユーモア短編を。チェホフがいったん二十世紀のアメリカを体験した後で、あれらの短編小説を詩で表現したとしら、君の作品に近いものになるんじゃないか」

あるとき私がそう言うとスタニスラフは満面の笑顔になって、それは自分にとって最高の褒め言葉だと答えた。私にはその反応が意外でもあり嬉しくもあった。ソビエト時代の困難、そして体制崩壊後の束の間の熱狂が醒めた後に押し寄せてくる幻滅と新たな閉塞感にも拘らず、この詩人が自らの内なるロシアを(「ロシア独特のやり方で、どうにか」)引き受け、未来の伝統へと繋いでいこうとする姿が、その一瞬垣間見えたかに思えたからである。

19

ヨランダ・カスターニョ　Yolanda Castano　スペイン

ヨランダ・カスターニョは一九七七年、スペインはガリシア州サンティアゴ・デ・コンポステーラの生まれ、現在は同州の代表的な都市ア・コルーニャに住んでいる。ということは当然スペイン語の詩人かと思いきや、本人曰く、「私はあくまでもガリシア語詩人、スペイン語詩人ではないの」。

欧州の言語状況は複雑だ。スペインには、いわゆるスペイン語（カスティーリャ語）のほかに、カタルーニャ語、バレンシア語、バスク語等の地方公用語があり、ガリシア語もそのひとつ。私などには区別がつかないが、ガリシア語は隣接するポルトガル語に近いのだそうだ。

地方公用語の間でも、その普及度合いには違いがある。言語の成り立ちが完全に異質で、独立運動まで起こしているバスク地方とは対照的に、ガリシア地方の人々にはそれほど言語的独立意識が強くなく、むしろガリシア語を使うことに劣等感を感じるむきもあるという。家庭ではガリシア語を喋っていても、公的な場ではカスティーリア語を喋ろうとする人も多いそうだ。

そんなガリシア語にとって、ヨランダは力強い助っ人だ。ガリシア語の詩のアンソロジーを編み、州内の学校でガリシア語による詩のワークショップを行い、毎週一回地元ア・コローニャのテレビ局でクイズショーの司会まで勤めている。次に紹介する詩は、個人的な恋愛詩であると同時に、グローバルな時代に生きるヨランダの、地域固有性への賛歌としても読めるだろう。

トルストイの庭の林檎

わたし、
かつてネレトヴァ河の岸辺を車で辿った
湯気たてるコペンハーゲンの路上を自転車で走り回った
わたし両腕を伸ばしてサラエボの町の砲弾の穴を測った
運転席に座ってスロベニアの国境を越え
複葉機に乗ってベタンゾスのリアス式海岸の上空を舞った
わたしアイルランドの岸壁やコシボルカ湖のオメテペ島からフェリーボートで船出した
わたしブダペストのあのお店を絶対に忘れはしない
テサリア地方の綿花畑も
十七歳のときニースのホテルで過ごした一夜も
わたしの記憶はラトビアのユルマラ・ビーチで足を濡らし
NY六番街でほっと寛ぐ
わたし、
リマのタクシーに乗っていて死にかけたことがあった
リトアニアでパクルオイス平野の眩しい黄色を横切ったことも
アトランタでマーガレット・ミッチェルが渡ったその同じ通りを渡ったことだって

エラフォニシのピンク色の砂浜に残されたわたしの足跡
ブルックリンの角を曲がり、カレル橋を渡り、ラヴァール街を歩いたわたしの足跡
わたし砂漠を横断してモロッコのエッサウラまで行った
ニカラグアのモンバッチャ高原でケーブルカーに乗った
アムステルダムの路上でひとり眠った夜が忘れられない
オストログの修道院も、メテオラの岩も忘れられない。
わたしゲントの広場の真ん中に立って大声である人の名前を叫んだ
かつて希望に身を包んでボスフォラスの海峡を渡った
アウシュヴィッツで過ごしたあの午後を境にもう同じではいられなくなった
わたし、
東に向かってモンテネグロのポドゴリツァ近くまで車を走らせた
スノーモービルに乗ってヴァトナヨークトルの氷河を制覇した
わたしリュー・ド・サンドニで味わったほどの孤独を知らないし
コリントスで食べた葡萄のような味をもう二度と味わうことはないだろう
わたし、ある日トルストイの庭になっている
　リンゴの実を摘んだ
けれど今わたしは家に帰りたい
ア・コルーニャの街の
わたしの一番好きな

隠れ家
あなたのもとへ。

(Mazás do Xardín de Tolstoi)

次に紹介する「変身の歴史」を訳すのにはずいぶん苦労した。ヨランダを囲んで数名の詩人翻訳者が、英訳テクストを読み進んでいったのだが、彼女の英語がそれほど達者ではない上に、その英訳がかなりいい加減な代物だったのだ。結局カスティーリャ語を母語とするマルタの詩人が間に入って、ガリシア語から一行ずつ意味やニュアンスを辿ることになった。

期せずして両言語の微妙な違いを目の当たりにする機会を得たわけだが、この作品の難解さはヨランダ自身にも曰く言いがたい内的な複合意識のゆえなのだった。因習的な抑圧のなお強固なカトリック国において、自らのセクシュアリティと創造性の解放を求めるひとりの若い女性の、血を流すような葛藤の歴史。それは翻訳セッションというよりも、むしろ深層心理を読み解く精神分析の趣きを帯びたのだった。

変身の歴史

衝撃とともにそれは始まった
有害な禁欲　子供のころ我が家は貧乏で　私はまだそれを持ってはいなかった
弱虫の私　自分自身になる前からすでに奪われて　苦しみは

虚弱さの寓話性を欠いていた　ひとつの症候　ひとつの幻覚
(まだそこにはないそれをすでに悔いているということの二重の辛さ)
首飾りを引きちぎった断崖の影。
最初それは逃げ腰の鰓だった
鰓は私に息を吹きかけて幸せにしてはくれなかった。
私は学校中で一番平凡な顔をしていた
あってもなくてもどうでもいいような顔立ちだ　そこからはなにも始まらない
必要なら手にいれなさい　駄目ならそれまで　諦めなさい馴れなさい呑みこみなさい
鴉の群れが雲を遮っている　私的な喪失
(ミッション系の学校の女の子は私もそうだったけどみんな拒食症かレズになる定め
血で染まった文字が浮かび上がってくる　肘に　頭に
良心にそしておまんこの上にまで)。
私は目を閉じて力の限り願ったものだ
今度こそ本当の自分自身にならせて欲しいと。

けれど綺麗はひとを駄目にする。綺麗はひとを駄目にする。
首飾りをすり減らした断崖の影。
曙がやってきて私の喉は予兆を掲げる。
お馬鹿さん！　あんたって空欄を埋めることしか考えていないのね

答えじゃなくって。
冬の最中にゆっくりと眩暈を誘いながら開いた花々
逆流してついにはピンクの滝と化した河
わたしの髪の毛のなかでは蝶々とカタツムリが生まれ
わたしの乳房は微笑んで飛行機の燃料となりました
綺麗はひとを駄目にする
綺麗はひとを駄目にするんだってば
わたしの子宮のすべすべが春を護衛し
わたしのちっちゃな手の上をナマコは飛んでいったんだっけ
そして最高のおべっかがわたしの心室を抓って
わたしにはもう分からないこんなにたくさんの光を
こんなにたくさんの闇のなかでどうすりゃいいのか

あたしは言われた「お前の武器がお前自身を罰するだろう」
あたしの貞操は目の前でまっぷたつに割れ、この
クラブの女の子はだれひとり赤い口紅をつけてちゃだめなんだ
汚れた潮の流れ　いけずな変態　そんなもんが
あたしの睫毛のマスカラと関係あるわけがない　ネズミが
あたしの部屋へやってきた引き出しのなかの白い衣服をめちゃくちゃにした

何リットルもの錆とタールと密かな監視何リットルもの
支配何リットルもの中傷何キロもの不信が湧き出してくる
あたしの眉毛の端がわずかに吊り上っただけで　あたしなんか縛られたらいいんだ
あいつらに灰色のギブスをはめられて酸ぶっかけられて眼も鼻も消えちまえばいいんだ
あたし、物書きになるために自分自身であることを放棄するって？
あいつらはやわらかくてほっそりしたわたしの首や　うなじから生えてる産毛を
悪魔に仕立て上げた　この
クラブにはちゃんとした女の子はだれも入れない
あたしたちは夏を信用しない
綺麗はひとを駄目にする。
これまでのあたしの人生にどんな値打ちがあるのか
もう一度ようく考えてみなくては。

(HISTORY OF THE TRANSFORMATION)

活字を読むだけだと分かりにくいこの詩も、ヨランダ自身による朗読を聴くと素直に腑に落ちる。言葉が身体性を帯びていることの証左であろう。実はヨランダ、Tender a Man というバンドを組んで、詩と音楽と舞踏が一体となったパフォーマンスも行っている。来る五月半ばにはスペイン大使館の招待で日本を訪問、東京のセルバンテス協会で朗読を行うほか、いくつかのバンド公演を企画中だとか。ご興味のある方は、Yolanda Castano または Tender a Man でユーチューブを検索してみてください。

20

マイケル・ブレナン Michael Brennan

オーストラリア

一九七三年オーストラリアのシドニーに生まれ、現在は日本に滞在している「亡命」詩人、マイケル・ブレナンを紹介するのは実はこれが二回目だ。初回は二〇〇九年七月発行の本誌(「びーぐる詩の海へ」)第4号、そのとき取り上げたのは『空は空』(Sky is Sky)という、家族のなかの死を題材とした極めてパーソナルな詩集だった。今回は一転して私性を排し、フィクションと批評性の要素を大きく取り入れた、全五十七編の散文詩からなる最新詩集『Autoethnogrphic』(Giramondo, Sidney, 2012)から、いくつか訳出してみたい。まずは詩集の冒頭に置かれたこの作品から。

アサイラム【癲狂院/亡命】

「心配するなよ、面倒はちゃんと見てやるから」と街に言われて、君は得意満面、船を降りる前からもう一旗あげて成り上がるつもりでいる。潮はシドニー湾を素早く出たり入ったり、スーハースーハー、まるで街が息をしているかのよう。もう何年もそうしてきたのだ! 移民局(ウェルカムパーティー)の金髪美人は、書類を審査すると、君の唇を縫い合わせていた糸を抜き取り、「海風」という名前のカクテルを差し出してくれる。ウォッカ、アイス、スピードを等分に混ぜてやると街は歓喜の叫びをあげるだろう――　密入国請負人らが言ったことは嘘じゃなかった。こいつは効く。おまけに砂漠で四十日も過ごしたばかりの君は、大いに羽目を外したがってる。浮かれたあげく、君は誰にも分からない言語で美しい呪詛を吐き散らす。そこへ処刑人が真っ黒な仮面を被り、ボウイナイフと言語障害を持って入って来る。ナイフの舌が君の喉仏を舐めているときも、君はまだはしゃいで表面を引っ掻いている、この街にすっかりぞっこんなのだ。

(Asylum)

こんなふうに詩集は「君」がシドニー湾に上陸してオーストラリアに入国するところから始まる。だがナラティブの主体は「君」からすぐに「僕」へ変わり、さらにまた別のキャラクターへと移ってゆく。彼らは入れ代わり立ち代わり一見ランダムに登場しつつ、互いのあいだにかすかで曖昧な関係性の糸を紡ぎだす。その虹のような綾から浮かび上がってくるのは、現実のオーストラリアと寄り添いながらも、そこから言語の剃刀一枚で切り離された「もうひとつのオーストラリア」、いわばかの国の歴史的・集合心理的・そして詩的言語による肖像だ。

郊外電車を想うアリバイ

あたしの父さんは会計士だったのでもそれから郊外に住む弁護士になって自分がアラスカの熊猟師だって夢見ていたわ。毎朝父さんは同じ時間に同じ電車に乗って出かけてゆくの。あの赤い電車に揺られて、街に着くまで通過する郊外の駅の名前をくる日もくる日も死ぬまでずっと繰り返す。二階席に座って、不精髭をお日様で暖めながら、父さんは網や罠を繕い、ベレッタ３０３型の散弾銃に油を差すの。ほかの乗客たちはそんな父さんを口々に褒め囃す。中央駅で電車を降りたら、歩行者用地下道をぐんぐん大股で抜けて登山口まで歩いてゆく。そこから先、道は熊の棲む山の方へと曲がってゆくのよ。あるとき父さんはほんの一回道を間違えただけなのに、どうしても元に戻れなくて、何日もサバンナのなかをさまよう羽目になったんだって。家に帰ってきたときは陽に灼けてぼろぼろだったそうよ。ライオンはね、一日のうち二十三時間を寝て過ごすんだ、だから血に餓え腹をすかして生きているのはほんの束の間なんだよって、父さんはあたしに教えてくれた。「見事な種族だよ」父さんはこう言ったの、「でもね、我が子よ、私にはむしろ大きな黒熊の深い冬の眠りと、その後に続く長い夏の日々を与えておくれ」

(Alibi considers the suburban line)

このモザイク的なナショナル・ポートレートのなかで主役級の位置を与えられているのが十五歳の少女、アリバイ・ウェンズデーだ。作者によれば都市郊外の白人ティーンエージャーという設定なのだそうだが、最初読んだとき私は彼女が内陸の荒野に住むアボリジンの娘かと思った。彼女のなかに西洋文明の合理を拒む荒々しい野生を感じたからだ。たとえば次の作品のなかで、アリバイは乾ききった灌木に火を放ち、山火事を起こしてしまう。実際、オーストラリアを繰り返し襲う夏場の山火事の多くは、人為的なものであるという。

夏の始めのアリバイ

後ずさりながら、波は細かな灰と降りそそぎ、街は顔を背ける。波を運んできた海は、西風とぶつかってその息の根を絶やす。西風は潅木を燃やしながら肥大した郊外の周縁部を刈り込んできたのだ。その郊外でアリバイ・ウェンズデーは手放してしまう、あれやこれやを理解したいと願う気持ちを。ジャンボは何マイルも離れた場所で父さんの世話をしている。彼の独り言は、不幸を生き延びて前へ進んでゆくためのエンジン音だ。アリバイは何年にも亘って溜めこんできた、あそこで、空腹を、半ば上の空の痛みを、接着剤を吸いこんで頭くらくら、男の子たちとの野蛮ないちゃいちゃ、アリバイは数え上げてきた、恨みつらみ、忘恩の瞬間、礼儀作法の一般的欠如、塩まみれの波頭と肉体のかけら、化け物じみた風の真似をする波と季節の変化を、アリバイは掻き集めていた、炎の輝き（イルミネーション）がどっちに向かって走り出すか見定めながら。十五年に亘る生涯。深く吸いこんだら窒息してしまうだろう、だから彼女は吠えかかり襲いかかることを学んだ。まるで自分自身が街と化してしまったかのようだ、海に追い詰められて、夕暮れに垂れこめられて、もう一度振り返って、跳ね回る岬の手足、名前を舐めながらアリバイは新聞紙を炎の渦巻きに捻り上げる、それをユーカリの木の剥き出しの肌に押しつける、伸び放題の下草の先に、からからに乾いたバンクシアの樹に、そしてめらめら瞬く無思考を白日の炎へ翻訳する、眼の前で荒々しく燃え盛る炎へと。

(Alibi at the start of summer)

アリバイにはジャンボという名の兄がいて、遠く離れた場所で父親とふたり暮らしている。母親はいない。父親は彼女がまだ生きていて、いつか戻ってくると信じている口ぶりだが、そんな父を見るジャンボの眼差しは冷ややかだ。ではアリバイとジャンボの母親はどうなったのだろう。次の作品のなかのジャンボのせりふ（「ハイウェイのことは忘れてしまおうってわけ？」）と最後の行がそれを暗示している。

牛の心臓のかたちをしたトマト

息子に食事の後片づけを命じた。「ジャンボ、食事の後片づけをしなさい！」威厳をもって、いかにも父親が言いそうな口調でそう言ったのだ。ジャンボは、皿やオレンジの皮やアンチョビのペーストなど、朝食の遺物をのろのろと集めながら、その間じゅうじっと横眼でこっちを見ていた。「来月になれば、二月最後の日々がやってくる」私はわくわくした朗らかな声を出した。「さあ、どうする？」ジャンボはもう流しの前にいて、蛇口から流れ出る水の行方を観照していた。「ぼくらは一生互いから離れられないんだよ」ぼんやりとフォークの先で頭の横を掻きながら、そう言った。「父さんはな、母さんがライドから戻ってくるのを待っているつもりだよ。母さんは牛の心臓のかたちをした熟したトマトを持って来てくれるだろう。そいつをレンジの炎で直接炙って分厚いパンのスライスにのっけて食べるんだ」「もしもまだガスが残ってたらね」ジャンボが口を挟んだ、親指でバターナイフから魚肉のペーストをこそぎ落としていた。「もちろん、ガスはたっぷり残ってるさ。母さんはちゃんと約束を守ってくれて、教会の鐘の音が朝いっぱいに鳴り響くだろう」「ハイウェイのことは忘れてしまおうってわけ？」「きっと私たちは干し藁を敷きつめた牛車の荷台で暮らすことになるだろうね。鮭の梯子を登って、鮮やかなピンクの魚肉をせせるんだ」「何言ってんのか、自分でも分かってないじゃない」私は椅子の背に凭れかかって、皿を拭くジャンボを見つめた。「牛を訓練して協奏曲をハミングさせようじゃないか。何が聴きたい？　ベートーベン、チャイコフ、それともサティ？」ジャンボはあからさまな侮蔑の表情を見せた。「サティは協奏曲なんか書いていないよ」そう言うと、皿拭き布巾をパンと払って肩にかけた。「よし、じゃあ、チャイコフスキーで行こう！」いらいらした調子がカラ元気のなかに混ざってくるのが、自分でも感じられた。ジャンボは皿をみずやの棚に重ねて戻し、果物の皮をコンポストに投げ入れた。「もうすぐ一年だ」歯磨きのチューブを端の端まで絞り尽くしたような、ぐったりした声だった。その時私にいったい何が出来ただろう、牛追いと妻が持ってきてくれるだろう熟したトマトに心を研ぎ澄ますことのほかに、ドア越しに聞こえてくるハイウェイの殺人的な唸りのなかで。

(Those ox-heart tomatoes)

アリバイとジャンボの物語の合間に、いくつもの別の物語（の点描）が挿入される。現実と想像力、過去と現在、散文と詩の隠微な絡まりあいから浮かび上がる「もうひとつの国」。その領土の一端は、第二次世界大戦におけるインドシナやニューギニアでの戦いを経て、私たち日本人の現在にも届いている。

敗残兵

川床は近所の家のペットたちの骨で埋まっていた。犬、猫、ネズミ、あらゆる種類の動物の骨だ。ミスター・パーキンズの薄汚れたあばら骨まであった。例のアイルランド人の双子が廃馬屠殺場から救い出して、十階にある自宅の居間で飼っていた老いぼれ馬だ。ふたりはミスター・パーキンズをエレベーターで降ろしては、セブンマイルビーチまで乗馬に出かけたものだった。いつ頃から骨が集まり出したのか、誰も覚えていなかった。最後に雨が降った後からだろうと言う者もいたが、それがいつだったかを覚えているものもいなかった。もはや空から水が落ちてくるということ自体が、ひどく馬鹿げたことのように思われるのだった。元いかず後家のメイビスは、この前の雨期を撮ったビデオを持っていると言いふらしていたが、ジョーイーによれば男をたらしこむための囮に過ぎなかったそうだ。ある日の午後、僕たちはアホのティミーを堤防から引きずり降ろして骨の上へと突き出した。あいつのぶきっちょなデカ足が踏みつけるごとに、足元から花火みたいな音が弾け、白い煙が立ち昇った。ティミーは悲鳴を上げ続けていたが、やがて大昔に可愛がられて迷子になったと思しき畸形の小動物の、捻じ曲がった背骨を手にして戻って来た。僕はふと昔読んだ本のことを思い出した。いつかどこかで戦争があったとき、捕まえた捕虜の生皮を剥がして尋問したという話だ。その川べりを見ていると、町のどこかにひとりの敗残兵がいて、なにかの答を探しているんじゃないかと思えてきた。きっとブローディの家の下にでも隠れ住んでいるんじゃないか。あいつの母さんが、洋裁用の人形や行方不明になった子供のアルバムなんかを仕舞いこんでいるあの地下室に。

(Lost soldier)

このほかにも人魚と化した美女のテルマ、そのテルマと三角関係を結ぶマッド・サイエンティストのノアと自由主義経済の悪漢ハートグ、そのハートグが救出に駆けつけるごろつきのブローディ（そう、あのブローディだ）など多彩な人物が登場し、この作品を知的な社会批評であると同時に、グロテスクで幻想的な物語に仕立ててゆく。

ちなみに詩集の原題であるAutoethnographic（自己民俗学的）とは、自分について語ることによって自身が属する共同体を民俗学的に捉えようとする文化人類学の新しいアプローチである。冒頭に「私性を排し」と書いたが、実のところここに描かれてているのは、長く祖国を離れて暮らす詩人マイケル・ブレナンの「内なるオーストラリア」であり、その意味において彼自身の肖像でもあるのかもしれない。たとえば次の作品に登場するジャンボには、『空は空』のなかで兄の死と格闘していたマイケルの面影がかすかに重なっているようにも思えるのだ。

庭

アリバイは自分がまだ母さんのお腹のなかにいて、生まれようかどうか迷っていたときのことを覚えていると言い張るのだ。まるで自分の一存で決めることができたかのような口ぶりで。「そうよ、あたしは一日中寝そべってられたのよ、ごはんは食べ放題だったし、あったかだったし、ウンチしたりお風呂に入ったりからだ洗ったりしなくてもよかったし。モルモン教とか市場調査とか聖遺物を身につけた証人の人とかが玄関にやってくることもなかったし」そりゃそうだろう、と僕も思う。

あの頃はアリバイも幸せだった。今じゃ母さんはいなくなってしまったし、父さんは小屋に籠ったきりくる日もくる日も屑鉄を溶接している。タイムマシンを作っているんだそうだ、もうじき皆んなで母さんに会いに行けるんだって。でも僕は誤魔化されやしない、ニュートリノや空間と時間の相克について父さんがどんな熱弁を振るおうと。毎日僕は家じゅうの時計の針をほんの少し戻すんだ。そうやってここで一分、あそこで三十秒、掠め盗ってゆく。時には五秒や十秒だって満足する。集めた時間は裏庭に持って行って土に植える。夕方には時間が伸びる音に耳を澄まし、夜になるとポーチの階段に座ってお茶を飲みながら時間が花を咲かせるのを見守る。小屋の中の父さんは相変わらず狂ったようにハンマーを叩いたり鋸を挽いたりしているけど、なぜか最近はその音が妙に心地よく感じられるようになってきた。僕には分かっている、遅かれ早かれ、僕らはどうにかしてあの頃へ戻ってゆくだろう。母さんは暗がりのなかで僕の隣に座って、僕らが共に花に咲かせて失った歳月を見つめるだろう。それから母さんはマグカップを置いて、屈みこみ、僕の顔を剥がし取る。そこには土と時間が絡まり合って、みだりに生い茂り、腐りかけてしまっている。母さんはそれを掻き出してくれるだろう、そうして底の方から一掴みの光を引きずり出し、そうっと解き放ってくれるだろう。

(In the garden)

21

現代中国的詩人たち

今年もロッテルダム国際詩祭の季節がやってきた。今回のテーマのひとつは、中国の現代詩。その最前線に立つ三人の詩人が招かれていた。通常地元のオランダ以外は、一か国につきひとりの招待なので、これは異例の計らいだ。

参加詩人たちが同じ作品をそれぞれの母語に訳し合う、恒例の「翻訳ワークショップ」も行われたが、ここでも取り上げられたのは、そのうちのひとり、秦曉宇（Qin Xiaoyu）だった。まずはそこで最初に訳した作品を紹介しよう。

風神の唄

俺は北斗のごとく長い柄杓を打ち振って、
震える羊の群れを追いたてる
太古の時代から水汲み小屋まで。

俺がいるのはいつだって陽の沈む場所、

両の耳から青い蛇を垂らし
鳥に似た身体を纏って俺は冥界を支配する。

日毎俺が翼を伏せるとき、羊たちの休む谷間が
輪舞して蓮の花へと変化する、
目の前にはひっくり返った山脈とさんざめく銀の河。

（禺強謡）

秦暁宇は一九七四年生まれ、現在は北京に住む気鋭の詩人にして詩論家だ。彼は幼少時代を内モンゴルで放牧を営む祖父と過ごした。右の詩にはその体験が反映されているだろう。
続けてもうひとつ、こちらは形而上な問題を、アクチュアルな事物に託して提示する、知的な機微に溢れた作品だ。

鴨は知る

乳白色の問題がいくつか浮かんでいる、
池は岸に沿って湾曲しながら答えている、水はもうじき濁るだろう。
酔っているのは草の上にいる間だけ、
ひとたび水に中に入るや、彼らは自己を解脱するのに忙しい、

水中に孔を穿たんばかりに、
その柔らかな二本の櫂を叩きつけて。

疲れることを知らない
疲労、湖中の湖。

形と影のように切り離すことのできない風景、
書き変えることのできない一条の筆跡。

閉じた嘴の中の更に閉じた嘴。
「骨弱く筋柔らかにして而も握ること固し」(老子第55章)

彼らは静かに面を上げて
食べ物以外のすべてと向かい合う――

たとえば雨と犬に、
ひとり死にまたひとり抜け落ちてゆきながら。

(鴨先知)

冒頭の「乳白色の問題」とは「?」の形を鴨の姿に喩えたものであり、第四連の「湖中の湖」は池を泳ぐ鴨を真上から見下ろした情景だという。それが分かると、それまで抽象的だった詩が一気に具体性を帯びてくる。

ワークショップではこういうことを身振り手振りで、ときには絵を描いたりもして読み進んでゆくのだが、秦暁宇はあまり英語が得意でない。オランダ人とスコットランド人ふたりの中国文学翻訳者が間に入って通訳してくれるのだが、時に話はこんぐらがって「ロスト・イン・トランスレーション」的状況が出現する。そんなとき、流暢な英語で我々を助けてくれたのが、北島と並んで現代中国詩を代表する詩人、楊煉(Yang Lian)だった。

一九五五年スイスで生まれた楊煉は、文革の時代を中国で過ごすものの、天安門事件以降は、ニュージーランド、英国、そしてベルリンで亡命生活を続けている。いわば反体制の外部者でありながら、中国現代詩の紹介者としての役割を果たしてきた。昨年十一月には秦暁宇と一緒に中国現代詩の英訳アンソロジー『Jade Ladder』を刊行している。

今回参加した三人の中国人詩人のなかで最も若いのが、廖偉棠 Liu Weitong。現在香港に住み北島の右腕として雑誌「今天」のポエトリ・エディターを務めている。彼は同時に写真家にして大の日本文学ファン、私たちはすっかり意気投合して会期中筆談で話し続けたのだった。

楊煉、秦暁宇、廖偉棠のトリオは、ロッテルダム詩祭を、ちょうど同時期に行われていた北京での詩祭と、ライブ・ストリームによって結びつけた。ロッテルダム側の「スタジオ」は詩祭会場である劇場の楽屋で、ラップトップのウェブカメラの前に詩人たちが額を付き合わせるようにして、地球の裏側へ詩のエールを送る。すると画面から北京のみならず、中国全土に張り巡らされた詩のエネルギーが跳ね返されてくるのだった。後日楊から聞いたところでは、当日のアクセス数は六百万件を軽く超えたという。

実をいうと現代中国詩人の作品を翻訳したのは初めてではない。二〇〇九年にスロベニアで開かれた相互翻訳ワークショップに参加した際、一九六三年生まれの西川（Xi Chuan）の作品を数篇、詩人自身による自己解説をもとに翻訳する機会を得ていた。

今回会った三人の詩人たちにその話をすると、彼らは異口同音に「西川は我々の仲間であり、現代中国の詩壇にとって、非常に重要な詩人だ」と答えた。

秦暁宇の翻訳をしていると、西川とのセッションの記憶が鮮やかに蘇る。欧米の詩人たちが英訳テキストだけを頼りに四苦八苦している傍で、自分だけは原文の漢字からおおよその見当をつけることができるのだ。さらには彼らの詩的表現の端々に、日本語の詩にも共通するパターンを感知する。言うまでもなく、それらは漢字の渡来以来何世紀にもわたって、私たちの祖先が時に命がけで学び取り、日本語の奥深く取り込んできたものだ。

漢文の散文性や、漢詩独特の観念性は、和歌の調べや抒情と対を成しつつ、私たちの詩的感性の基本骨格をなしている。現代中国詩人の作品に親しむことで、思いがけず私たちは自らの出自の一端を垣間見ることができるのだ。

スロベニアで訳した西川の作品で、この項を締めくくることにしよう。

蚊に関する覚書

十万匹の蚊は結集して虎となるが、それが九千匹となると結集しても豹にしかなれず、八千匹だとぐったりと身動きできないチンパンジーだ。だが一匹の蚊はあくまでも一匹の蚊のままである。

血を吸う蚊、雌の蚊は、蛭や吸血鬼と同類であるが、これらに加えて官僚、地主、資本家なども同じく人の血を啜るものとして挙げられよう。地球上のあらゆる生物をその食性によって分類するならば、肉食性、草食性、そして吸血性の三つに大分されるだろう。

歴史の隙間にはぎっしりと蚊が詰まっている。彼らは処刑場の証人であり時には自ら参画することもあった。即ち馬車を用いた引き裂きの刑、黄河の堤防決壊、婦女子の人身売買等々である。にも拘らず、二十五巻におよぶ年代史に蚊に関する記述は一切見当たらない。

今日において、我々が一匹の蚊と遭遇するとき、その系譜は女媧（Nuwa）が天空を修復した天地創造の時代にまで遡ることができるだろう。（明代の小説『封神演義』は女媧を美しい女神として描いている。女媧は生来蚊を愛したが、『封神演義』はそれについては触れていない）。

しかしながら蚊の寿命というものは凡そ日の出から日没の間と限られており、せいぜいが日の出と日没を二回繰り返す程度の期間であるため、一匹の蚊がその全生涯において遭遇するのは人間なら四人か五人、豚なら二十四から三十四、馬なら一頭といったところである。これは蚊が善悪の概念について未だになんら展望を見出していないということを意味している。

なかには蚊が入ってくるのが嫌だからといって窓もドアも閉めたままでいる人がいるが、そういう人は実のところ蚊によって幽閉されていると言えるのである。また街中の公衆便所を使うしかない境遇の人もいるが、蚊に刺されるということはたしかに痒くはあるが耐えうるものであることを、彼らはその経験から学ぶのである。

私が地球上に存在している目的のひとつは、蚊に刺されることである。蚊はその管状の針にて我が肌を貫き、涼を求めて我が影の下に集い、我が息の毒を吸って息絶えるのだ。

真夜中、ベッドの上で半醒半睡状態にある男がいきなり自分を引っ叩く。別に自責の念に駆られたわけではなく、ただ蚊の唸りを聞いたのである。引っ叩き方が強ければ強いほど、彼が蚊を叩き潰す成功確率は高まるが、同時にその自己批判めいたぴしゃりという音も高まってゆく。

ところで蚊は死後何に生まれ変わるのだろうか？　私の目の前でうろうろひらひらしている輩は前生において蚊であったに違いない。生まれつきがりがりに痩せている娘がいるが、そういう娘を我々は「蚊」と呼んだりする。

自然を保護するということは蚊やその仲間を保護するということであり、そこにはマラリアの神も含まれねばならない。また自然保護の名において、我々はモスキート・ガードの生産を増大させねばならない。そうすれば蚊は自然から追放されるであろうから。もっとも現実には極めて困難であろうが。

蚊を飛行機や列車に持ち込んでほかの大陸や外国へ移動させることは、我々の望郷の念を深め、ひいては世界との一体感を醸成するであろう。我々がスーツケースを開くたびに、蚊は飛び出してゆくだろう。

蚊が着陸したことのある場所と蚊が着陸したことのない場所とを見分けることは、泥棒が足を踏み入れたことのある土地とそうでない土地とを見分けること同様、誰にとっても不可能だ。泥棒の足跡を辿ろうとすることは、顕微鏡で蚊の死骸を眺めることに似たり寄ったりなのである。

（蚊子志）

22

カレン・ソリー　Karen Solie　カナダ

カレン・ソリーは、一九六六年、カナダ南西部のサスカチェワン州で生まれた。人口三万三千のムースジョー（ヘラジカの顎、の意味）という田舎町である。実家は農家で、学生時代には獣医を志していたが、途中で文学に転じた。九五年カナダの若手詩人を集めたアンソロジーでデビュー、二〇〇一年には処女詩集『Short Haul Engine』（ドロシー・リヴシー賞）を出版する。その後、二〇〇五年に『Modern and Normal』、二〇〇九年には『Pigeon』で、権威あるグリフィン賞ほかふたつの文学賞を受賞、現代カナダを代表する詩人のひとりとして地歩を固める。

トラクター

高さは建物の一階の天井を越え長さはその二倍ある、
燃え盛る炎のような、ビューラー・ヴァーサタイル２３６０型、
度外れた小離島ほどの生態環境を
備えていて今ではなんとオプションまでが
標準装備でついてくるのだ。半ば埃、半ば日焼けの

王冠で車体を飾り、まるで
私たちの欲求の深みから一気に盛り上がってきたかのように、
精確かつ完璧な互換性を持って、ターボ冷却空気を
吐き出している。以前なら一週間かかっていた作業が
たった一日で済ませられる、走行燃費はおよそ
一ガロン当たり半マイル。購入費用は
十五万ドルだった。私たちは、二〇一七年までに
ローンを完済したいと思っている。
人間の手が作り出したもののなかでこれ以上
崇高なものは滅多にないビューラー・ヴァーサタイル2360型。

通り向かいでは、照明を浴びたテキサス仕様の油田やぐらを
作業員たちが建立しながら、地下に埋蔵された約束は
きっと果たされると一貫して擁護している。
太古の海底は一千フィートに亘って貫通されるのだ
パイプに通した文字通り何トンもの液体の
圧力によって――その成分についてはここで触れないに
越したことはない――そうしてバターをつけた側の
パンのように横たわる甘美な天然ガスに

辿りつく。そのとき大地は激しく振動する、親愛なる
ヒューストン、親愛なる親会社殿、死体を鞭打ちもう一度
殺して、大気は打ち震え、心拍は乱れ、不整脈を打つ。
生きとし生きるものが押しなべて黙りこくって、
その刹那私たちの意識はここから完全には離れられないだろう。

おっと私はビューラー・ヴァーサタイル2360型フェーズDの
話をしてたんだっけ！　あまたある古典的名機のなかでも
その名を響かせている……ワーグナー、
スタイガー、インターナショナル・ハーベスター、ジョン・ディア、ケース、
ミネアポリス・モリーヌ、オリバー、ホワイト、アリス・シャルマーズ、
メイシー・ファーガソン、フォード、ライト、ローマ。
或いはこう云ってもいい、それは歴史の砂粒の周りに
生成した真珠の粒のように、運命を表明していると。そして、
避けがたい結論のディーゼルの匂いは、ある意味で
常に私たちと共にあったのだと。
疑念に囚われたとき、私たちは
ビューラー・ヴァーサタイル2360型に視線を投げかけて
慰めを得る。それが故障したとき、もしくは

ギアが入っているはずなのに、梃子でも動こうとしないときには、
町から修理係に来て貰う、料金は一時間あたり60ドル、
プラス交通費と部品代だ。

(Tractor)

なんとトラクターの詩である。実家は農家で、いまでも農繁期になると手伝いに駆けつけているのだそうだ。だがいわゆる生活詩とは程遠い。およそ非文学的な中西部の散文的現実を、言葉の力で変容させ、詩的な世界を現出させる。その点では米国のイマジスト詩や、小野十三郎の「歌と逆に歌に」を想起させるが、カレン・ソリーを詩人として際立たせているもうひとつの重要な要素は、ユーモアだ。知的なユーモアによる現実のねじ伏せと持ち上げ。あ、サイモン・アーミテッジの世界だ。そう思って訊ねてみると、どんぴしゃ、サイモンは彼女が最も好きな詩人のひとりだという。というような会話を、ある国際詩祭で行われた「詩とユーモア」に関するパネル討議の合間に、僕は初対面のカレンと交わしていたのである。ちなみにその討議へのもう一人の参加者は、「アルマジロジック」なムードで聴衆の笑いを誘う、田口犬男なのだった。

インディアナ州マンシー経由で、ロスコへ

一九八〇年代。長い十年間の始まり、この世紀の
晩年の作。畦道には雪、車体前面に藁束を積んだジョン・ディア
耕運機最新モデルの低速ギアによる運行によって

畑は二等分されている。それを運転している男の娘は
歯列矯正器をつけている、自分の脊柱が側湾しているのは
悪魔の仕業なのだと思っている、信仰が足りなかったせいだと。母親は
台所の電話で聖書について喋っている、台所には
コーヒーの匂い、コーヒーには犬の匂い。クリスマスの電飾が

バンガローの庇から垂れ下がっている、バンガローには
車が蓄熱ヒーターの電線で係留されている。飲酒と
汚職の噂のせいで民主党は市長選への立候補を
取り下げざるを得なかった。なんとなれば我らは複雑な思索の
単純な表明を好むから。大きな形の歴然たる衝撃。幻想を
打ち壊し、真実を暴き出す平べったい形態。今や組合員の瞳は
黄昏を帯びていて、市のゴミ捨て場は今ある場所に居座ったままだ。
夕方が降りてくる、昇ってゆく、或いは人影から発散される。
スポーツジムと模型飛行機ミュージアム、
マンシー・ショッピングモールと州立ボール大学のふたつの中庭が
それぞれの連想を投げかけている、未知の空間で
未知の冒険を繰り広げている。ハロゲンランプがその精神の逸話をひとつ
照らし出す。ここで彼の顔を見かけることは二度とないだろう。

紫の石切り場は遠くのほうで、もっと巨大な暗闇をもてなしている、
ホワイト・リバーは氷を詰めた小部屋のなかで眠っている。
卒業を控えた教室では抽象的な感情が育ってゆく、

新年早々の死亡事故の車の残骸から生まれ出た
象徴主義への傾倒、果てしなき広漠さを擬似宗教的に
味わった結果としてのボブ・シーガーの歌への電話リクエストの
殺到。この明晰さに至ろうとすれば誤解されるのは
避けられまい。彼らの人生は畑の、町の、その建物の正面と
自分だけの幸福のための計画の次元へと
引き寄せられてゆく。家賃、食費、セーター
室内。バスケ、バスケ、そして二度目の結婚。

(Rothko via Muncie, Indiana)

詩祭の別の催しとして、カレンは「詩の書き方」と題したレクチャーも行った。詰めかけた聴衆に「誰にでも詩が書けるメソッド」として彼女が教示したのは、次の項目について一行ずつ書き出してみるというものだった。即ち、実体験として自分が知っていること、真っ赤な嘘、記憶のひとかけら、なんでもいいからなにかに関する陳述、他人の喋っていたセリフ等である。これらを並べ変えたり、掻き混ぜたりしているうちに、その関係のなかから必ずや詩が立ち上がってくるでしょう、と彼女は請合ってみせるのだった。

実はこれと似たことを、ぼく自身、学生相手の詩のワークショップでやったことがあるのだが、これは詩を一義的な自己表現から解放し、多義的で重層的な述語主導の表現へと導くために有効な方法である。なるほどカレンはそんな風に詩を捉え、実際に作ってもいるのだなあ、とぼくは納得する。けれどそのようにして書かれた詩には、他の誰でもない、彼女だけの強力な磁場が感じられる。それは懐かしいと同時に謎めいて、未知の言葉なのに自分の内側から響いてくる。カレン・ソリーという個の本質でありながら、それを超えて他者を内包している。そんな風に感じられる詩は滅多にない。ぼくはもっと彼女の作品を読みたくなる。

賭け

シーズンオフは長年の習慣に雨と新しい
生命を齎す。私たちのしているのがなんであれ、私たちはそれを
やりたがらずにはいられなくなる。大いなる南西部の道路沿いの名所も
私たちなしでは甲斐がない。地球最大の動物たちと、
野菜と、鉱物が色褪せ朽ち落ちてゆく、まるで私たちの
大好きな三流高速道路脇の屑鉄みたいに、アリゾナ州
キングマン市のダイナーチェーン「フォー・エース」は
保健局の注意を惹いてしまったばっかりに、永遠に
店を閉める羽目に陥った。言っとくけどさ、

最初から諦めるのは努力を尽くした上で失敗するよりもたちが悪い
なんて思っているうちは、まだ努力なんて尽くしていないんだよ。

まっとうな判断が想像力とともに深く欠如している
ことを示す確たる証拠はあるものの、決心した挙句の
孤独の響きのうちに、濃淡の消滅のときへと旅立ってゆくことは
出来るだろう、チョコバー工場の注意深い香水に巻かれて、
どんな悪意も持たぬまま。生き方の見事さは
タイミングの取り方にかかっている。誰もがそれに長けている訳じゃない。
たとえば私たちの前方を行くこの男、もう
四十五分間に亘ってウインカーを点滅させたまま、
高速道路の出口のほとんどないこの界隈を走り続けている、まるで
左折だけが彼にとってこの惑星における唯ひとつの
希望だと言わんばかりに。

(Wages)

23
カリンナ・A・グリアス　Karinna Alves Gulias　ブラジル

二〇一三年六月、ロッテルダム詩祭の最終日最後のプログラムに、ひとりの若い女性が壇上に立った。素っ気ないジーンズ姿の、学生と云っても通用しそうな印象だった。どんな詩を読むのだろうと待ち構えていたら、彼女が読み始めたのは、詩学に関する一種のテーゼというか宣言文であった。以下にその全文を引用する。

*

詩は言語です。しかし今日において我々が通常考えるような意味での言語ではありません。詩は、知識を得たり、分かち合ったりするための道具としての言語ではなく、秘儀化された言語なのです。詩はイメージによって言葉を伝える口のようなもの、ちょうど多神教者が神々を招き呼ぶときそうするように。もっともここで云う神々とはイメージそのものであって、それは私たちを認識論的な考え方から解放してくれるのです。

認識論的な考え方は知識に属しており、ときには知識そのものです。認識論は危険です。なぜならそれは、私たちが事物や文化的な環境を世俗化させ、実利的な役に立つ資源としてのみ利用するとき立ち現れるものだからです。そういうとき、私たちは断片的な思考の地平に立っています。言語を永遠に固定された知識として追い求めるとき、そしてその結果自然の自発的な開示を待たずに頭で先回りしようとするとき、認識論はいっそう危険度を増します。認識論の領域に棲息することは形而上の世界に生きることに他なりません。そこでは刻一刻と移り変わるものではなく、固定され不変なものだけが真理として受け入れられるのです。けれども「流れていない川」などというものを一体どうやって理解すればいいのでしょうか。そんなことが出来るのは観念論のなかだけです。そのような理解の仕方は自然にも、従って言語にも忠実ではあり得ません。私たちが川というものを本当に見ることができるのは、それが運動のなかに自らを顕わすときだけなのですから。

運動こそ詩を活性化させ意味で満たすものであり、詩的なテキストを読む＝翻訳するための鍵なのです。自然のなかにおいてと同様、詩的なテキストにおいても、すべては静止した形態ではなく、流れ移ろう運動のなかに自らを顕わします。

詩の言葉、それをポエティックスと呼ぶことにしましょう、そこでは光は闇を離れては存在し得ませんし、詩は事実に基づかない内容から成り立っています（形態を離れて内容を論ずることが可能だとすればの話ですが）。ただしここで詩が事実に基づくものではないということは、プラトンが言ったような、詩が想像の産物であり本当のことではないという意味ではなく、むしろ詩の本質が知識や認識論的な思考の領域に属していないということです。詩は聖性の家に棲んでいます。その聖性は宗教や宗教性といった概念とは無関係です。聖なるものとは、測りがたいすべてのもの、その生成において神秘的であり神秘的であることを許されているすべての事物なのです。私たちが事物をありのままにあらしめ、その声に耳を澄ますなら、ポエティックスと寓話的な言語が私たちの文化のなかに立ち現れるでしょう。人間であれ事物であれ、知識や主観や言語の表層的な体系化によって分け隔たれたり、支配されていない状態にあれば、どんなものでも聖性を纏います。だからこそ私たちは、詩的な言語を生み出すための秘儀を繰り返し行うのです。

言語とは見えるものと見えざるもの、記憶と忘却の再会であり、現在における過去と未来の再会です。その二面性から運動と絶えざる変化が生まれるのです。

私たちのいうポエティックスとは、言語においてのみならず自然においても詩的なるものを指しています。ポエティックスにおいては、自然の流れに従えば従うほど、真実は言語を通して、より完全に自らの姿を顕わす、いわば隠された状態から明るみの方へとやって来る。ただしこの到来は私たちが明るみと呼ぶものの内に宿り、その中を自由に行き来しているわけですが。真実というものは私たちがそうであって欲しいと望むように固定されてもいなければ自明なわけでもありません。作家、読者、そして翻訳者が成すべきは、真実を明るみに出すための道筋を再現してみせることだけなのです。

ではここで、「言語のよき翻訳者であろうとする努力を惜しまない読者」という存在について考えてみましょう。それは私たちひとりひとりがローカルな言語の農家であるようなあり方です。私たちが行う、あるいは作るどんなものでも、それが秘儀化されかつ深く掘り下げて観照されるならば、ポエティックスの領域のうちにあるというのが私の見解です。この観点からすれば、すべては象徴化された言語において全体性を取り戻し、その結果、読むあるいは書くという行為はおのずと、歴史のなかの（その記憶と忘却の限りにおいて）あらゆる時代に書かれた別のテキストの翻訳であることが明らかとなるのです。このことを経験するためにはテキストの細部に対して限りなく注意深くありながら、同時にあの偉大なる存在、すなわち忘却に対しても忠実であることが必要です。そのふたつが合わさって初めて「読み」は完全なものとなるのです。このような完全さにおいてテキストが経験されるならば、そのテキストは詩的言語と化し、私たちのまわりにあるものは一切合財が自然や人間に仕える資源であることを止め、ひとつの文化として十全に存在し始めることでしょう。従って、あらゆる物体の運動は（蟻のそれから天体のそれに至るまで）テキスト化され詩的なものになる可能性を秘めています。そのとき私たちは詩の地平に立っています。自分の呼吸に注意を払うというほどのことですら、ポエティックスの研究となり、詩的言語の翻訳ないし解釈となり得るのです。

このように考えると、詩と詩ではないものを隔てる旧来の考え方は誤っていることが分かります。詩とはポエティックスそのものです。つまり、二面性を通して真実を明らかにし、光と影の運動を通して名付け難いものを明らかにするすべての言語なのです。

メッセージや教訓をひとつの型（モデル）として読み取るようなテキストの読み方は、空疎な一般化でしかなく、本当の意味で言語（私たち全員に属し、私たちそのものであるところの文化の一形態）を経験することには繋がりません。認識論的な詩の読み方では、詩が文学の体系における一文芸ジャンルとして位置づけられるわけですが、そこでは往々にして一般的なパターンを作るという罠に陥ります。そのパターンにさえ従っていれば、どんな作品にでも通用する方法論というものを作り上げてしまうのです。しかしそこには固有のテキストに耳を澄ますということがありません。逆にテキストに対して窮屈な型を強制してしまいます。言語とのこのような関係は誤りです。

名づけ得ぬものに耳を澄ますことは、言語と身体の扱いに習熟するための練習に他なりません。

詩、あるいはポエティックスとは、この練習がなされる過程を運動として表現したものなのです。ポエティックスは、文字化されたテキストによってであれ、話し言葉のパフォーマンスを通じてであれ、あるいは他のどんな手段であれ、言語を秘儀化します。手段はなんだっていいのです。ポエティックスにおいては、私たちが行うすべての運動が聖なる言語となるのです。

私たちの固有の文化や言語が断片的にしか理解されない状況にあって、詩は私たちの内なる（秘められた）自然に訴えかけてきます。そのような内なる秘境を理解することは大文字で書かれた自然（Nature）を理解することでもあります。その意味で詩的に語るとは自然が語るように語ることであり、自然や言語の流れそのものを語ることなのです。

*

カリンナ・A・グリアスはリオデジャネイロの大学で英語とポルトガル語を学んだ後、ロンドン大学の大学院で比較文学の修士号を取得。二〇〇九年以降は英国に在住して科学関係の書籍の編集者として働いている——詩祭のプログラムにはそんな略歴が載っていた。これまでに出した詩集は *Maria da Graca, terra dos nomes periods*（マリア・ダ・グラサ、失われた名前の土地）という詩集一冊だけ。現在では詩はもっぱら英語で書いて自身のブログで発表しているという。

ステージから降りてきたカリンナに、僕はその場で日本語への翻訳発表の承諾を得た。報酬は会場でのビール一杯。その時点で彼女の詩はまだ一篇も読んでいなかったが、詩に対する考え方には大いに共感を覚えたからだ。

「知識や主観や言語の表層的な体系化によって分け隔たれたり、支配されていない状態にあれば、どんなものでも聖性を纏います。」というあたりは、我が敬愛する井筒俊彦氏の「絶対的根源的無分節」の概念に通じるし、絶え間なく流動し変転するテキストとしてのポエティックスとは、同じく井筒氏が「分節II」と呼ぶ言説空間に極めて近い。そのような個別の思想を持ち出すまでもなく、詩を自然と同じ一つの生命体として捉える姿勢は、彼女とは地球の反対側で千数百年詩歌を作りつづけてきた我々の感性と素直に響きあう。

それにしてもこの若さで、しかもブラジルという、アリストレスの西洋とも、「詩経」や「もののあはれ」の東洋とも一種隔絶された新世界で、どうやって詩の原理についてこんなに深い洞察を身に付けたのだろう。この星に時空を超えて張り巡らされた詩のネットワークの、その隠微にして大胆な働き方にあらためて驚かされるのだった。

最後にカリンナ自身の詩を一篇だけ紹介しよう。

狂おしげに剥き出された無色透明

食べるためにさえ言葉が要る
口の大きさのかけら
一頭の馬の濃淡
精神の速度を計測するための
髪の毛一本と希望

希望を持つべき時
食べ物なしで

生きることは努力すること
両手を開いて　――　空を示して
花のからだ
Ereta

(Crystal Clear is Maddening Raw)

訳注：Ereta はポルトガル語で「上へ」の意味。

24

ナタリア・リトヴィノヴァ　Natalia Litvinova　アルゼンチン

遁走

言語が私を連れて行った
幼少期という
怒涛の河を渡って。
幼少期は私が育つのを見たことがない、
私は自分で自分を組み立てのだ
洪水の後に散らばった
瓦礫から。

(Fugas)

ナタリア・リトヴィノヴァは一九八六年ベラルーシ共和国のゴメリという町に生まれた。十歳のときに一家でアルゼンチンに移住。理由は現在にも続く独裁政権を逃れての政治的亡命、加えてチェルノブイリ原発の放射能汚染から逃れるためでもあったという。ゴメリは東にロシア、南にウクライナとの国境を控えており、同発電所とは僅か百キロしか離れていない。爆発が起こったのはナタリアが生まれた年だ。そしてその四年後にはソビエト連邦が解体し、ベラルーシも独立を宣言する。ナタリアにとっては、まさに「怒涛の」少女時代であっただろう。

風の顔

話すことが出来ないなら、描いてみよう。
木がページの上で動けないのなら
私がその震えを発音しよう。

一本の木を、一枚の葉を得るために
そして風のように話すために
私が震えなければならないときがある。

(Caras del viento)

ナタリアの母語はロシア語だ。今でも家族とはロシア語で話しているし、ロシア文学のスペイン語訳も積極的に手がけているという。しかし詩は最初から一貫して亡命先の言語であるスペイン語で書いている。これまでに七冊の詩集を出して、うち一冊はフランス語とスペイン語との対訳版だ。現在は、やはりスペイン語で、ベラルーシの幼年時代を舞台とした小説を書いているそうだ。

そこに言語をめぐる現実と詩と自我の複雑な関係があるであろうことは容易に想像できる。今回送ってもらった彼女の詩に、decir (言う、伝える、意味する) という語が頻出するのは、そのせいかもしれない。

発語の羽ばたき

私はくるくる墜ちてゆく、鳩も一緒に墜ちてゆく。
私の鳥顔が床に叩きつけられる。
お父さん、私は飛べなかった、ただの一度も
息も出来ない、お父さん、私の身体には鱗が生えて、
蛾になるさだめ
私はお母さんの腸を燃やした
羽ばたく聖なる言葉とともに生まれ出るために
でも口から出てきた言葉に音はなく
私は墜ちていった
私の奇妙な鳥顔から生まれてきた鳩と一緒に。
お父さんは云った、私には翼があって、
泳いでたって、ねえ
お母さん。

(Aleteo del decir)

「ベラルーシ時代の思い出で一番楽しかったことは?」という私の質問に対して、ナタリアは「森の思い出。田舎に住んでいた祖母の家を訪れて、果物や野菜を植えたこと。そして雪」と答えた。そ

う言われてみると、ブエノスアイレスにはほとんど雪が降らないことに気づく。彼女の詩のなかの雪は北国で生まれ育った記憶のなかの雪なのだろう。

私の雪を食べなさい

鳥に囁く、私の詩を離れて、
私の雪を食べなさい。
雪に囁く、私の詩からどいて、
鳥の卵よ飛び立ちなさい。
沈黙の殻があなたを貪り喰うことのないように。

(Comanse mi nieve)

間違い

今日どこに電話してもあなたが出る夢を見た。
私裸なのよ誰かが後を着けてくるわと私は云った。
電話を切れよとあなたは云った、誰も追いかけて来ないって。
夢見る度にあなたは年老いてゆく、あなたの白髪は雪の色だ。
あなたは一匹のネズミを見つめている、疲れ果てて
氷を潜り抜けることが出来ないでいるその体を。

あなたは迷っている、ネズミを死の切片へと押しやるべきか、
それとも雪の棺に向かって押してやるべきか。

(Equivocado)

一方アルゼンチンで過ごした少女時代——もっとも本人の言によればベラルーシを離れた時点で自分の幼少期は唐突に終わったそうだが——で最も印象に残っているのは、人々の笑いと余所者を受け入れる温かさだという。共産主義とその崩壊の後に続く独裁政権の下で営まれていた北方の生活と、南半球でのラテンアメリカの暮らしでは、文字通り世界が逆さまにひっくり返ったほどの違いだったろう。

ナタリアの詩のもうひとつのキーワードは「ojos（眼）」である。そこに、流動し変転し分裂する外部世界から距離を置いて、自分自身の姿を見つめようとする少女の醒めたまなざしを感じてしまうのは、私の思い過ごしだろうか。

眼

日々は過ぎない。誰も歳をとらない。
眼が、もう一つの空の僕（しもべ）と化して、
顔に皺を刻むだけ。
鏡を曇らせ、石を重たくさせるだけ。
日々は、本当は過ぎてゆかない。木の葉は色づかないし、

庭が枯れすさぶこともない。
渡り鳥は大陸を見棄てたりしない。
すべては眼の仕業なのだ。誰にも見えない小さな死を
眼は纏っている。

(Los ojos)

あなたの目は私の灰皿になった

昼も夜もなく私はあなたに書き続けた、最初の言葉にはロシアもパリもなかった。
私の手はどんどん透き通っていった、あなたにキスするのは白い壁にキスすること、
私たちはとうとうキスをしなかった。

私は自分の身体を見下ろす、何人の人がこれを愛しただろう(失われた身体を愛するなんてことが
出来るだろうか?)、その下腹のなかで幾つの未熟な冬が祝われたことだろう。

このページの余白に私の生は書き記された、それは怯えて、詩を試した、
明晰な散文も試してみた、でも駄目だった、そしてそれは肉体になった。

私はカフカの手記を一通のラブレターとして読む、もうじきパリには雪が降るだろう。

ロシアにも、別の雪が降るだろう。春は下腹へやって来るだろう。
かつて私を愛した者たちが力づくで私のもとへ帰ってこようとするだろう。
ねえ、あなたの目は私の灰皿になったのよ。
あなたへのキスは時の不具にキスすること。
私はカフカの手記を読む、それが私に残された唯一つのもの。
私が無垢な裸であることを望む者たちが静かに戻ってくるあいだ。

(Tus ojos se han vuelto mi cenicero)

ナタリアがスペイン語で詩を書き始めた直接のきっかけは、ロルカの詩、その音楽性に触れたことだそうだ。私が彼女と出会ったのも、ロルカの故郷、アンダルシアで開かれたある詩祭においてであった。今あらためてその時の光景を思い起こすと、黒い髪と浅黒い肌の人々が大きな仕草と歌うような抑揚で賑やかに懇談する部屋の片隅に、ひとり佇んでいた彼女の透き通るような静けさが印象的だ。それは故郷の土着性に安住する人の姿ではなかった。むしろボードレールからカフカへと通じるアウトサイダーの系譜に連なるものの面影だ。
ナタリア・リトニノヴァの故郷は、ベラルーシでもアルゼンチンでも、パリでもモスクワでもない、ユートピア(どこでもない場所)としての詩なのかもしれない。

最期の腰回り

完璧に描かれた青写真の歳月の後で
母は他人の洋服のサイズを測る羽目になっていた。
ある日白血病に罹ったジョンがやってきた。
ズボンを詰めて欲しいと云う。痩せてしまったのだ。
彼が現れるたびに、私は手で口を塞がなければならなかった。
彼の身体の上に身を投げ出したくなった。
五種類のジョンの腰回りに合わせて詰められた
五足のズボン。あなたは石灰のように白かった、
眼の寸法をした衰弱した光になった。
なのに唇だけは真っ赤だった、まるで体中の血液がそこへ集められたかのように。
最後に会ったのはあなたが六本目のズボンを持ち込んできた時
わたしはその上で泣きながら眠ったのでズボンは台無しになってしまった。
翌朝母を見ると母の眼は
水晶になっていた。母はミシンの前で
あえかな日射しを浴びて輝きながら、座っていた
皺くちゃの、いかがわしい、誰の物とも知れぬ衣服とともに。

(La ultima cintura)

25

デニス・オドリスコル

Dennis O'Driscoll　アイルランド

デニスと会ったのは三度きりだ。最初は黒海のほとりで開かれたルーマニアの詩祭だった。ブカレストからのバスの中で、近くに座り合わせた詩人たちと各国の出版事情について雑談を始めてしばらくたった頃、それまで静かだった彼が話に入ってきた。自分の意見を発言するためというより、語られている事柄をもっとよく理解するために。穏やかな口調と、切り詰められた言葉数で発せられる彼の質問を聞いて、「あ、この人はジャーナリスティックな感覚を持っているな」と思ったものだ。そういうタイプの詩人は日本でも海外でも少数派だ。精確な散文で理路整然と世界を捉えることができないからこそ、詩を書いているのだという人の方がずっと多い。

その印象は詩祭のなかで僕の朗読を聴いた彼の感想に接して、いっそう深まった。半ばおふざけで自分の詩の各連を短歌調、浪曲調、琵琶法師調など様々なスタイルで読んで見せた僕のパフォーマンスを、彼はジョイスのユリシーズを引き合いに出しながら、「君がやったのは母国語に潜む言語の地層を掘り返して見せるという作業であって、それは詩人の本質的な職能の一つなんだよ」と評したのだ。

だが彼自身の詩の朗読を聴いたとき、僕は賛嘆と同時に、強烈な親近感に包まれてしまっていた。たしか、今日死ぬことになるとは露とも知らず、朝でかけてゆく夫とその妻を淡々と、突き放したように描いた作品だった。賛嘆はその詩の技量に対して、そして親近の情は、詩のなかに下世話で身も蓋もない日常的な現実を持ち込んでみせる姿勢に対してだった。朗読のあとで思わず駆けよって握手をしたら、デニスは「実はこの詩、生命保険のCMに使われたんだよ」と言ったものだった。

批評家としての醒めた眼で、現実に潜む詩を生け捕りにするタイプの詩人。自分自身に拘ることを恥らい、言語の明晰さのなかに自分を消し去ろうとしながら、むしろその過程から逆説的な自己表出が迸るタイプ。世界各地で数えきれないほどの詩人と出会ってきたが、デニスほど自分に近しく思える詩人を他に知らない。

彼は執筆中のシェーマス・ヒーニーとのインタビュー集『飛び石』について語り、僕を驚かせた。ちょうどその頃僕もまた谷川俊太郎とのインタビューを重ねつつ、詩人論『谷川俊太郎学』を準備しているところだったからだ。いずれふたりの著作が完成した暁には、先行する詩人、それも自分に決定的な影響を与えた父親的存在を「批評する」ことの意義（と危険）について話し合おうと約束したのだが、結局果たされないままになってしまった。

二度目に会ったのはその数年後のアイルランド、コーク。ユーモアをテーマとした文学祭だった。デニスは同じく詩人である奥さんのジュリー・オキャラハンと一緒に参加していて、彼独特のいわゆる deadpan humor で、にこりともせず詩を読み上げては会場の笑いを誘っていた。詩集『Reality Check』はその時デニスから貰ったものだが、今回ここに訳出した表題作もその時に聴いたと記憶している。ご覧の通りデニスの詩には死（そのものというよりも、その恐怖）を題材としたものが多く、ほとんど取り憑かれていると言っても良さそうなのだが、同じく訳出した連作「skywriting」は、一転して空に永遠と不死を託すかのように高らかに歌い上げられている。詩を書く主体としての自分の設定にも衒いがなく、いたって素直だ。

「一体どうしたんだよ、デニス。ついに煩悩から解脱して、色即是空の境地を獲得したのかい？」と揶揄った僕に、彼はどう答えたのだったか、記憶は朧だ。その代わり、「あと二年で役所勤めが定年を迎えるんだ。なにしろ十六の時から働きづめだからね。待ち遠しいよ。年金生活になったら、思う存分本が読めるだろうなあ」と言ったのが印象に残っている。傍にいた奥さんが「この人、今だって本の虫なのよ。職場から帰ってきたら一直線に書斎に入って、片っ端からありとある文芸誌を読み漁るんだもの」と口を挟んだ。

五十八歳になり、待望の年金資格を得て、まさにこれから詩人としてフル稼働してゆこうとした矢先の、不意の死だった。さぞや無念だったろうと、同じく二足のわらじを履き続けてきた自分としては身につまされる。だがその一方、魂の深部において、もっと大きな旅立ちが訪れることを予感していたからこそ、デニスは「Skywriting」のような作品を書いたのだろうとも思わずにはいられないのだ。

三度目はポーランド、クラクフの教会だった。ミウォシュ祭の一環として、数年ぶりにシンボルスカが人前に姿を現し、朗読することになっていた。教会のなかは詰めかけた世界中からの聴衆と、通常のミサを終えて引き上げる信者たちが潮目のようにぶつかり合って、立錐の余地もない混雑ぶりだった。その群衆の中に思いがけずデニスを見つけた。たまたま最前列近くに招待客の席を得ていた僕は、彼を呼んで手招きした。最初は慎ましく辞退していたものの、シンボルスカを間近に見る誘惑に負けたのだろう、デニスは人混みを掻き分けてやって来て、窮屈な隙間にその痩身を埋めた。押し付けられた彼の肩の感触が今でもまざまざと残っている。

彼がミウォッシュを始めとする東欧の詩の研究者でもあることを、僕はその時初めて知った。あとで一杯やりながら旧交を暖めようと言ったのだが、実際にシンボルスカの朗読が終わってみると、この老婦人のまわりには忽ち聴衆が駆け寄って、デニスもそこに入っていかないではいられないのだった。「ごめん、こんな機会は一生にもう二度とないだろうから……」と申し訳なさそうに、それでいて興奮を隠すことができない口調で言い残すと、彼は身を翻して人の輪に中へ飛びこんで行った。まるで特ダネをものにしようと逸る事件記者みたいに。教会の祭壇へと遠ざかってゆくその後ろ姿が、僕がみたデニスの最後だった。

年明け早々に訃報に接して以来ずっとデニスの詩集を持ち歩き、折に触れては訳している。するとあの柔らかで、繊細な抑揚に彩られた声音が蘇る。耳元よりももっと間近な、詩人としてのデニス・オドリスコルと一人の男としてのデニス・オドリスコルの区別がつかなくなる場所で。彼の死を悼む気持ちが、失せるどころか少しずつ大きくなって、僕は今かけがえのない肉親を亡くしたような悲しみに包まれている。

リアリティー・チェック

1　死

死は安くはない
その値段は乳腺腫瘤の摘出
親戚から削り取ってきた骨髄

柔らかな部分を引っ掻き回す消毒済みの金属片
鉗子で留められた移植用心臓の大動脈
チューブだらけのベッドに群がる研修医たち
死とはさぞ有り難いものであるに違いない、かくも大層な
要求を突きつけ、思う存分に搾り取るからには

2　診察

医師の口から聞きたいのは
「心配はありません。すべて正常です」
だが実際に聞かされるのは「お気の毒ですが…
懸念があります…年齢的にもかなりの確率で…

医師の口から聞きたいのは
「よくあることです……じきに消えてなくなるでしょう」
だが実際に聞かされるのは「生体検査の結果が
届きました、率直に申し上げて……

3　経過観察

ここからの脱走の試みは悉く阻まれる
心拍記録器がモニターする心臓の
揺らぎ――あらゆる供述証拠と
有罪を示す資料が掻き集められる

寝ずの番の夜警の監視下に置かれ
終日見張られている　明日になれば
悪性の行動の嫌疑をかけられて
ポリープや腫瘍を密かに持ち込んでいないかどうか
ボディーチェックされるだろう

4　手術

内視鏡検査とレントゲン写真の後で
有罪判決が言い渡される
金属製の点滴スタンドに手錠で繋がれ
第一手術室へと連行される

弁護士団は公訴事実について説明し
刑事免責の可能性は皆無であると告げる
上訴の余地なし　特別な事前準備が
取られる　もしも仮に……万が一に備えて……

5　医学書

しこりが小さいほど危険は大きい
八割がたは良性だが手術はどんな場合でも
行うべし、但し摘出は顔面神経に対する
永続的な障害を伴う可能性が極めて高い

摘出しなければ、しこりが最終的に
悪性となる恐れが確実に存在する
摘出したとしても、再発はあり得る
悪性の場合、転移は避け難い

6　毀損された人

廃品置場に積み上げられた事故車は
死ぬまで傷物、クロームと
ガラスの原子へと打ち砕かれて、もう二度と
道路を走る資格を取り戻せない

言語に絶する衝突を精神が
蒙ったのだ、その余波は顔中に刻まれている、
まるで脳が思い切りダッシュボードに叩きつけられて
正常な状態からビミョーにずれてしまったかのように

7　包帯を巻かれた心臓（セシリー・ブレナンのステンレス鋳造）

心臓が鋼鉄で鋳造されていればよかった
人間の感情を味わなくとも済むように、包帯で
ぐるぐる巻にされて、止血帯で血栓のある
動脈の血流を妨げられて

心臓は硬く縮み上がってしまったかのようだ

心室に溶け出した秘密を解き明かす前に、光を撥ね返す
金属へ、手術用メスの愛の対象へと
心臓の溶岩が凝固したのだ

8　分析

それにしても天使の序列のうちの誰が私たちに賠償してくれるのか、
命を与えられたことに対して？　私たちが得たものをどうやって取り消すつもりなのか？
私たちが耐え忍んできた音楽の感情的ストレスに対処するために
誰が介護役を引き受けてくれるのか？

私たちが繰り返し襲われてきた性愛の発作から
どうすれば回復できるのだろうか？　一体どんなカウンセリングを受ければ
子供たちの健やかな成長を受け入れられるようになるのか？
選ぶ贅沢に馴らされたトラウマを癒されるのか？

(Reality Check)

スカイ・ライティング（空を書く）

空はあらゆる可能性に向かって開かれている、
そのスクリーンは表面に映し出される
どんな光景も拒まない。
宇宙の強風に煽られてはためく星座、
大陸から大陸へと交易の路線を紡ぐ飛行機、
網膜のように剥離する流星、
装飾的なモティーフをあしらう陽射し。
からっぽの波に満たされて、
空は自由自在にキャンバスを拡げる
見晴らす限り、
いつまでも捉え難い消失点に向かって。

＊

どこまでもしなやかに、空は
全方位に向って実体を伸ばしてゆく、延性のある
金属さながら見えなくなるほど薄くなめされ、

暁には指先で描かれたライムの色、
紅玉髄やヨードの色、鮭缶のピンクに染まる。
スキムミルクの青い静脈が、水溶性インクのフォントが、
雲のクリームへと凝固する、かと思えば
いつしか透明な空色を帯びて
継ぎ目も縫い目もない空間に満ちわたる。
その途切れのない意識の流れこそ、
時の外で生きる命の証。

*

光はシミーを踊りながらこの高層ビルの上階にある
美術館から騒がしい路上へと降り立ってゆく、
太陽の優しい影響力に曝け出された
ありとある裂け目へと潜りこみ、
きらきら跳ね回るつま先を公園の噴水に浸して、
甘言を弄して暗い樹木を輝き立たせる。
近くに建つビルの外窓清掃員は四十二階で
いったん停止、腕時計に目を落としてから、西の方を眺めやる。

足場は気球の籠みたいにぶら下がっている。
男の姿は柵に寄りかかった農夫にそっくり、
出来たてほやほやの畝に隅から隅まで
目を凝らし、発芽した小麦が
やがて姿を現す農地を検分しているの図。
あるいはそれが一日の終わりだったとしたら、エドワード・ホッパーの描く
ガソリンスタンド店主というところか、僅かな売上代金を
給油所のか細い灯りのなかで数える風情。
背後ではもみの木が、暗がりを排気ガスのように
撒き散らす陰謀を企み、人里離れた店の前の道路は
光の残量ぎりぎりの危うい走行、計器の針はもうゼロを指し示している。

＊

冬の夜明けが、夜のいちばん暗い部分を
脱ぎ棄てようともがきながら、
まだ眠る住人たちには暗がりを残してやっている。
砂浜を満たす水——霙の冷たさの
塩っ辛い、泥の色をした、マッシュルームのスープ。

空っぽの二段ベッドのある湖畔のバンガローでは
タイマーのスイッチが外灯を順番に消してゆく。
雪は人しれず、山の上にそそり立つ。
地球はなんと勇猛な横顔を向けているのだろう、
ギザギザの銀河の威力や、渡り鳥のような流星群の
飛行の前で己が領土を結界し、
反粒子の引力やブラックホールの寂寥に
抗いながら。

*

ただの夏じゃなくて五月がいいな。
一日ごとに地平線が幅広になり、光が拡がってゆく五月。
いや、ただの五月でもなくて、陽光の限りなく薄い絵筆が
発芽を加速させる暖かい五月がいいな。
暖かいだけじゃなくて明るい、明るいだけじゃなくて青い、
何ヘクタールものブルーベルの花が大気から切り離されたような青さ。
大気そのもののような青がいいな。

＊

燦々と降り注ぐ太陽は、職場の
士気を高揚させる、一日がごしごし洗われ、
砂噴き器で磨き上げられ、若々しく
整形手術されることを期待させる。
思わず口にしそうになる、目に見えて延びてゆく
日なが云々の、古びた言い回しを。
だが卓上カレンダーの十一月の文字がそれを遮り、
私に思い出させる、一年は引き続き
収縮してゆかねばならないのだと、
暗闇との協定を守らなければならないのだと、この
一見伸び盛りの一日は、実際には、よろよろと
帰港してゆくところなのだ。

＊

虹がフレスコされている
空の奥処の壁面に。

尤も空はその輝きを消化して、
雨で飲み下してしまうのだけれど。

*

この季節の夕暮れ、太陽が沈むときに限って
それまで固く閉ざされていた雲の層が、
口を開ける、まるで時計仕掛けのように、
あるいは時限ロックで制御されてるみたいに。
だがそこから吐き出される金色のコインを
寄付したところで一日を取り戻すには
手遅れだ。商店は閉められ
通勤客の群れは地下へと潜り込んでゆく。
店じまい間際のこれら光の特売セールを
漁っている余裕はもはやないのだ。

*

1957年冬。星々は妖精の光みたいに散らばっていた。

僕たちは庭の地面に立って、スプートニクの
衛星が僕らの方へ回ってくるのを待っていた。宇宙からの
信号音、技術の粋を尽くした黄色い片目の偶像。
この島国全土で、どの家族も震えながら
寒さと戦っていたのだ。パジャマの上にガウンを羽織って、
星の海図に航路を引き、輝く懐中電灯を握りしめたまま
遠くに手を振って、お返しに素っ気ないウインクを貰っていた。
くらくらする星の高みに目を奪われながら、
僕はその謎めいた粒つぶの仲間に加わろうと懸命だった。

＊

ブナの葉のブロンズ色をした晩秋の光が、
職場の私のデスクまで届いて途絶える、私のメモに
威厳を与え、私の熟練した手によってしたためられた
会長スピーチの原稿に金箔を塗り、法令遵守コストに関する
参考資料を銅版彫刻に仕立ててあげる、棺桶の木で作られた私の書架に
もたれかかって、窮屈な角度で身をかがめ、
部屋をセピアに染め上げる、私の存在を

無用の物とし、私を年金生活へと送り出しながら。

＊

星々に追尾されて、長距離ジェットは打ち負かされる
闇とに戦いに。乗客たちも今はもう
自動操縦モードだ、機内の照明が落とされて、聞き取れない音声が
備え付けのヘッドセットの隙間からこぼれ落ちる。
だがその間にも、抵抗運動は高まってゆくのだ。ありとある
最後の審判を凌駕して、光の稜線——希望のきらめき——が
どこからともなく現れる、空が
疲れた眼の前方を駆け抜けてゆく、朝食の
トレイが配られ、星々がパン屑みたいに払い落とされるとき。

＊

次の瞬間に何が起こるのか、一体どんな恐怖の
天候が私たちを待ちかまえているのか、
言い当てるのは困難だ。

だが今日の地平の上に、五月は
完璧な稼働状態で出動している。
考えられ得る限り最高の光を浴びて、
ハリエニシダの茂みから色を引き立たせ、
葉っぱには季節にふさわしい猶予を与える。
蝶は絢爛たる水仙の花びらへ
軟着陸を画策し、
穀物の発芽は陣地を拡大中。
ナナカマドの小枝は匂いを散布している。
そしてまだ優しいままの太陽が
丘の額を撫でているとき、雌牛は
産まれたばかりの仔牛を舐めてやっている。

(Skywriting)

26

ドン・ミー・チョイ Don Mee Choi　米国

ドン・ミー・チョイは韓国で生まれ、幼少時に香港を経由して米国へ移住した。現在はシアトルに住んでいて、ホームレスの人々への支援や学校を中退した人に再教育を施す仕事の傍ら、韓国の現代女性詩の翻訳を行っている。左に訳出したのは二〇一〇年 Action Books 社から出版された自身の処女詩集、*The Morning News is Exciting* の表題作である。

朝のニュースはドキドキする

全てのオトコの子と大人の男に！

タンポポは雑草じゃないのかも。キクの仲間なんだから。オンナの子もそうでなくては。

全ての雑草は自らを脱臼せんことを。オンナの子もそうでなくては。拳を握りしめて、わたしは朝のニュースを観る。タンポポの草は苦いけど柔らかい。オンナの子もそうでなくては。菊は敬われている。聞いてんの。早朝のニュースは、ドキドキする。

特別な帰属

わたしは長々とシャワーを浴びる。オンナの子はそうでなくては。わたしは苦しんだ。間違われもした。医者や看護婦はなにも分かってない。わたしは彼らを軽蔑する。彼らはなにも分かっていない。わたしはなにが起こるか全部知っている。わたしは世界を怒り狂わせる。オンナの子はそうでなくては。わたしの皿はゼッタイ割れない。

例外的な帰属

たっぷりと絞ること。オンナの子はそうでなくては。洗って洗ってそれから世界に向かって書くのだ。ニュースはすっぱ抜かれる。見ててごらん。わたしは台所用品を全部持っている。洋服だけ持っておいで。オンナの子はそうでなくては。わたしは世界に向かって書く。わたしの本は箱の中にテープで貼り付けられている。汚れが落ちるまで、血が消えるまで、洗って洗って洗い抜くこと。わたしは朝が一番退屈だ。

帰属についてもっと

人は誰でも求められたり求められなかったりするものだけれど、なかには生まれつき並はずれて求められなかったり求められたりする人がいる。国家が求められるか求められないかは、他の国家がどう思うかにかかっている。この国が最初並はずれて求められ、それから求められなくなったのは、危なっかしいほどちっぽけだと思われたからだ。この国に何が起こるかは、次第に明らかになるだろう、朝のニュースがドキドキするにも拘らず。父親、息子、少年はたいてい並はずれて求められている。並はずれて求められて生まれてきたものの、途中で求められなくなることもあるのは、彼らが危なっかしいほど二次的だと思われた場合だ。この父親は危なっかしいほど二次的だった。彼はこの国についてよく知っていたけれど、他の国についてはもっとよく知っていた。こういうことは、ある国が他の国のことをしょっちゅう考えて歓迎されざる駐留をする場合によく起こることだ。この国について考えているもうひとつ別の国もある訳だけれど起こるべき事柄はいずれ明らかになるだろう朝のニュースがドキドキするにも拘らず。求められる存在のただなかにいる二次的なこの父親は求められない存在に対して悲しみを抱いている。それでもこの父親は戦前戦中戦後にわたってこの国の写真を撮影した。

青いスーツケース

双子双子双子の領域。カメラマンよ、わたしの双子双子の領域へ走っておゆき。オンナの子の亡命(exile)は過剰(excess)を凌駕(excel)する。本質(essense)は亡命(exile)を凌駕(excel)する。求められたオンナの子にはなにかが起こる。求められないオンナの子にはなにも起こらない。朝のニュースはドキドキする。過剰(excessive)な亡命(exile)は分析(analysis)を超過(exceed)する。わたしの精神病を精神病せよ。彼女の精神病を精神病せよ。彼女を錠剤(pill)せよ彼女を錠剤(pill)せよ彼女をファイル（file）せよ彼女を追放（exile）せよ彼女を錠剤（pill）せよ彼女を錠剤（pill）せよ軸（axis）と箱（boxes）とセックス（sexes）に到るまで。

みんなで大声を出そう

ＳＴＵＤＥＮＴ　ＲＥＶＯＬＵＴＩＯＮ（学生革命）＝ＡＰＲＩＬ19，　１９６０，　ＳＯＵＴＨ
ＫＯＲＥＡ（１９６０年4月19日、韓国）
Ｓ＝ＳＥＸ（性）＝ＦＩＬＥ（ファイル）＝ＥＡＳＹ（簡単）
Ｒ＝ＲＥＰＥＡＴ（繰り返す）＝ＰＥＴＩＴＥ（小柄な）
Ａ＝ＡＳＳ（尻）＝ＡＳＫ（頼む）
19＝ＣＥＮＴＲＡＬ（中心の）＝ＣＯＣＫ（男根）＝ＭＡＮ（男）
１９６０＝ＷＡＮＴＥＤ（求められる）＝ＳＯＭＥＴＨＩＮＧ（何か）
Ｓ＝ＳＯＵＴＨ（南）＝ＷＯＲＬＤ（世界）
Ｋ＝ＫＯＲＥＡ（韓国）＝ＷＯＲＬＤ（世界）＝ＤＥＡＲ　ＮＡＴＩＯＮ（親愛なる国家）

制服を着た学生たちが付き従っていて何かが燃え上がっているということは容易（easy）に分かる。その一方で朝のニュースはドキドキする。もちろん間近な（near）ナレーションはドキドキする。カメラマンよ、靴磨き（shoeshine）の少年と一緒に走って、彼らが死ぬのを見守りなさい。彼らは腕と肩を組み一塊の潮となってやって来る。よって世界を引きずりおろせ。エリート達は小柄（petit）だ

が中心 (center) は生意気 (cocky) でマッチョ (manly) である。見ての通り、親愛なる国家 (dear nation) は小柄 (petite) で、求められている (wantend)。だからこそ親愛なる (dear) ナレーションなのだ。私が輝く (shine) のを見てごらん。

何も起こらない

わたしは手紙を書いた。わたしは車の中に座って長い間泣いた。それから飛び出していった。わたしは長い手紙を書くことにした。何も起こらないならば、わたしは自分の怒りを抑えられない。遠くの国家があなたを呼びあなたは行く。カメラを持って走って行く。遠くの国家に雇われてあなたは走る。よって朝のニュースはドキドキする。遠くの国家は小さな国家を雇って走らせる。当然のごとくあなたは走って爆撃機を追いかける。あなたは電子戦司官の後ろに座って嘔吐する。自分の恐怖をなんとかしなさい、遠いナレーションはここにいます。日常的な視点から見た日常的な生活。行軍する部隊。ギターを弾きながら歌っている日常的な男に重ねられるナパームの閃光。ホーへのフラッシュバック。苦しげに見える日常的な女子供。日常的な男のギター：F－4ジェット戦闘機の視点。非常に低い高度から。日常的な爆弾穴を振り返る航空撮影の連写。鈍く輝く水。日常的な視点のための空中国家。よってわたしは朝のニュースを待っている。求められていないオンナの子には何ひとつ起こらないと彼女は書いた。とんでもない間違い (error) だ。彼女はエロリスト (errorist) だ。

(The Morning News is Exciting)

詩集『朝のニュースはドキドキする』の特徴のひとつは、散文と行訳の詩の混在であり、歴史(とりわけ祖国である韓国の)、政治、ジャーナリズム、哲学、思想、翻訳理論といった要素を旺盛に詩の中に取り込んでいることである。そのことは、収載されたほとんどの詩の末尾に註が付けられ、引用や言及の原典が記されていることからも窺い知れる。結果として、それは詩集でありながら、形式的にも内容的にも詩ではない様々な世界との、広い意味での政治的緊張関係の上に成り立っている。

もっとも、この表題作には例外的に註がない。それでもこの作品が、若い女性(ひとりの、それとも双子の?)の内面世界と、朝鮮戦争やベトナム戦争、そして1960年の韓国学生運動の暴力的な現実を綯い交ぜにして、ひとつのテキストを紡ぎあげていることは明らかだ。

翻訳の過程で行ったインタビューで、ドン・ミー・チョイは次の事実を明らかにしてくれた。彼女の父親は報道写真家だった。元々は日本の特派員になる予定だったが、ベトナム戦争の報道によって著名な賞を獲り、米国のABCなど大手メディアのために働くようになる。そのお蔭で一家を香港に移住させることができた。1960年の学生運動の取材を通じて反体制の若者たちの悲惨を目の当りにした彼女の父は、子供たちを自分の国で育てたくないと思ったのだ。

作中に現れる「ギター」や「航空撮影」は、ABC放送の香港支局で、父親が子供たちのために映写してくれたニュースフィルムの一コマだと云う。

そういう話を聞くとこの作品の謎が解けたような気がするが、それはあくまでも部分的な読解に過ぎないだろう。この詩の語り手が父親に対して抱いているアンビバレンツな感情や、彼女自身の不安定な心の動きは謎めいたままだ。ドン・ミーによればそこにも極めて私的なドラマが秘められているようだが、この詩は私的な告白とは程遠い。むしろ私的で内的な世界と、外側の公けの世界との虚実の駆け引きが醍醐味だ。

内側の部屋からの教え

1

女は黙って
洗剤はたっぷり入れて
国家のごとく立ち現われて
男のふりして歌うこと
汝の脇腹は空ろなり
彼を呼び彼を呼びなさい
ヴォリュームを上げたスピーカーみたいに
女は黙って
水位は高く設定して
最も寂しい木々の背後で昇りなさい
あの人に私はここにいると告げなさい
あの人の鬘の所有権を主張しなさい——黄色です

輝きなさい案じているかのように
直ちにあの人の糞を暴きなさい
あの人の月を剥きなさい出来るものなら

2

台所の包丁を流しの
奥深く置きなさい
水と洗剤を流しなさい
お前の腕は病むだろう
回転が終わるとき
落ち着いて、黙っていること
ドアに答えなさい
国家に答えなさい
それはお前のものだ、私のものだ
あの人のものだ黄色い髪の毛
束の間のお喋り
お前の重荷を降りしなさい
あの人を乾燥機に撃ち付けなさい

あの人の鬘を作ってから求婚しなさい
あの人の髪の毛をお前の内部で伸ばしてやりなさい
毎日それをお前の魂で洗いなさい

3

人生はこれから始まる
疑いを持つな
扉を持つな
これはお前のせいではない
濯ぎは二回すること
泡は溢れさせぬこと
人生はこれから始まる
疑いを持つな
茶と言語
噂によれば凄いらしい
何故国家のようにオシッコする?
家庭のなかでは静かな革命が進行している
国家の息子――くにむすこ

それは問題だ、ティッシュを裂くこと――ティッシュの扉――
カバーを持ち上げるためにそれを使え
尻を拭くためもう一枚剥ぎ取れ
便器のなかに落とせ
底に貼りつく前にオシッコせよ
父は至上
お前の尿は清明
回れ右して
水は流したか？　流せ

4

すぐ結婚しなさい
もう一度結婚結婚しなさい
待ちに待って、あとであとで
彼と彼と結婚しなさい
我が伴侶よ、結婚
お前のげんこつと結婚しなさい
階級は――値段が張るよ

死にたいと思うのは
考えこむから
森のなかで、お前は死にたい
谷間で、お前は死にたい
お前は死にたい、巨礫、毛皮
独りで、お前は死にたい
洗剤の箱を剥がせ
血流は休眠状態の嚢子を運ぶ
俎板は流したか？
もう一度やれそれやれ
やったか？

5

よって、国家の息子は肉屋の息子である
彼は牛の臀部を引っかける、引っかける
彼は牛の首を引っかける、引っかける
彼は牛の鼻を引っかける、引っかける
彼は牛の耳を引っかける、引っかける

彼は牛の足を引っかける、引っかける
彼は牛の唇を引っかける、引っかける
彼は牛の脂を引っかける、引っかける

6

もうひとつだけお前に云っておくことがある
他人の富を羨むな
国家を疎かにするな
家事に専念せよ
鞄(bags)を詰めろ、卵(eggs)を詰めろ
釘(pegs)を詰めろ、豚(pigs)を詰めろ
出来た、よく出来た
義理の親戚はにっこりするだろう
しばし座れ
お前の夫は空だ
いつの日か着地するだろう
時宜を心得よ
平静な口調で自分の熱情について彼に語れ

下がる時はきちんと立ち上がれ
お前はじらされている
支度しろ、支度して北へ
詰め込め、詰め込んで南へ
お前の封印を解いて懇願せよ
お前の夫は空だ
いつの日か着地するだろう
彼の縫い目をほどいてまた閉じよ
またほどけ

(Instructions from the Inner Room)

「教え」に関する注:
近代以前の韓国では、独学をした上流階級の女性たちによって家訓を伝える詩歌(閨房歌辞)が詠まれ、もっぱら女から女、母から娘へと受け継がれていった。通常ハングル文字で記されたこの種の詩歌は、家系や行動規範、そして夫やその親族と自分の両親に対する義務と従属についての教えを授けた。

ドン・ミー・チョイの韓国現代詩の翻訳アンソロジーには、*When the Plug Gets Unplugged* (Tinfish, 2005)、*Anxiety of Words: Contemporary Poetry by Korean Women* (Zephyr, 2006)、*Mommy Must Be a Fountains of Feathers* (Action Books, 2008) がある。また韓国を代表する女性詩人であるキム・ヘスンの英訳詩集 *Sorrowtoothpaste Mirrorcream* (Action Books, 2014) は２０１５年ＰＥＮ文学賞の詩翻訳部門に選出されている。

そのほかの著作には、小詩集 *Petite Manifesto* (Vagabond Press, 2014)、三つのエッセイを収めたパンフレット *Freely Frayed, ㄱ=q, Race=Nation* (Wave Books, 2014) があり、来春には新詩集 *Hardly War* (Wave Books) の出版が予定されている。

27

ジョセフ・M・ロドリゲス　Josep M. Rodriguez　スペイン

一九七六年、スペイン・バルセロナ県スリアに生れる。二十二歳のとき、最初のスペイン語詩集 *Las deudas del viajero* を出版、同時にカタルーニャ語詩集 *Castell de sorra* によって第五回「リェイダ大学賞」を受賞。それ以降はスペイン語のみで詩作を行う。

枝

逆光を背に
君の肺臓が剥き出しにされている

その内部には
(たとえ眼には見えずとも)
アーモンドかハシバミの木が枝を広げ

先端には小さな白い花弁が

咲き綻んでいる

一枚のレントゲン写真
君はそれをテーブルの上に戻すのだが
そこには枝々や幹や木の思い出が
手つかずのまま残っている

(記憶は死なない
ただ変形するだけ)

君の肺のなかの枝
テーブルの枝

そして本のページの紙の枝

すべてがすべての一部なのだ
一本の木

(Ramas)

ジョセフの詩の特徴のひとつは、ほとんどミニマリズムと呼びたいほどの簡潔さ、そしてイマジストの系譜を引く視覚性だ。つまりは俳句的性格と呼び換えてもいいのだが、それもその筈、彼は詩人であると同時に日本のハイクがスペインの詩人たちに与えた影響を論じた評論集をふたつ（Hana o la flor del cerezo, Amado Alosno 国際文芸批評賞 2007 および Alfileres. El haiku en la poesía española última, 2004）、さらには小林一茶の研究書（Kobayashi Issa: Poemas de Madurez, 2008）まで著しているのである。次に掲げる作品のなかにも俳句へのオマージュとみられる詩句が散見される。だが彼は、単純な東洋趣味に惹かれて、俳句的なるものの影響下に自分の作品を置いている訳ではない。スペインのロルカや米国のW・C・ウィリアムなどを経て、ヨーロッパの現代詩のなかに既に受容された部分を、改めてその原点まで遡ることによって、ヨーロッパ現代詩そのものを更新しているところに、彼の詩の重要さがあるのだと思う。

川のこちら岸

野の花が咲いている
廃線となった線路の脇に。
過去はどんな瞬間にも顔を覗かせている。

群れをなして、

　マガモが
夏のほうへ飛んでゆく
（あるいは彼らは巨大な操り人形の糸を引っ張っているのに
僕に見えないだけだろうか

でもその人形こそが僕の未来なのだ）

ビショップを忘れるな。
時間は信頼するに足る。

けれど、僕にはまだ
単調さを始める
準備ができていなかった。

若さゆえの僕の自負はことごとく
氷で出来ていたのだが

それもすぐに溶けてしまった。

僕は未完成のうちに自分を見出す。

ほかに何が言えるだろう?

僕の心臓は
秒読みに入っている。

(A este lado del rio)

訳注:ビショップはアメリカの詩人エリザベス・ビショップを指す

ジョセフの作品のもうひとつの特徴は、ロバート・ローウェル的な告白詩の要素だろう。それも人生の賭場口に立った若者が、こわごわ中を覗きこみながら、自分自身に向かって覚悟のほどを問いかけるような、初々しい求道性に満ちたものだ。実は彼、もうすぐ結婚するのだそうだ。まさに「僕の心臓は/秒読みに入っている」のである。

なま

そんなにも黒く
深く

悲しみは油田に似ている

悲しみも死によって形成されるのだろうか?

私たちは自分が失ったもので出来ている
この瞬間
　次の瞬間
　　その次の瞬間

だから、躊躇うな
自分に与えてやれ
　今日この日
爬虫類の緩慢さを

化石の無垢を

洞窟の入口を
思い浮かべている男の闇を

自分とは何者かなどと思い悩むな
まだ森ではないあの木は
すでに森を予告している

(Crudo)

僕、あるいは僕という概念

僕には物事を一般化する傾向がある
だから僕は「森」などと書いてしまうのだ
この世に同じ木などふたつとないことを知っていながら

だから僕は「僕」と書いたりもするのだろう

それでも僕は僕を組み立てる
それでも僕は僕を取り壊す
あるいは両方同時に

まるで沈み行くボートに
生まれてきた子供みたいに

(Yo, o mi idea de yo)

ほとんどローウェル変奏曲

僕らは生れてきたときに仮面を渡される。
僕の顔はもう大きくなって
　仮面の裏にぴったりだ。

僕らは自らの
限界によって定義される
片腕の泥棒のように。

だから、誰か一人に絞って
その悲劇を書くこと。

ある種の言葉は、それ自体の黒さのなかで、
　輝きわたる
甲虫の胴体みたいに。
死者をして語らしめよ。

さもなくば首吊りのロープを前にしても
それが自分の内側にぶら下がっていることに気づかないだろう。
森から森へと潜り抜けようとすれば狼に出くわすものだ。
それゆえ、
　注意深くあれ。

痛みはトンネル
出口はある。

(Casi variacion Lowell)

ジョセフとは昨年秋、スペインの西の果ての孤島で催された六カ国語の詩人による相互翻訳ワークショップで一緒になった。ここに掲載する訳文は、すべてその時の成果である。毎日翻訳作業を終えた後、夕刻からボートを出して近郊の町で朗読を行い、真夜中島へ戻ってくる。それから彼との長い酒盛りが始まるのだった。一茶や蕪村のことをたくさん教えて貰ったが、「君の詩は現代詩の最前線にあって、俳句や短歌のアンチテーゼだと自分では思っているかもしれないが、僕に云わしてもらうならだ、どっこい日本の詩の伝統に根ざしているよ」と云っていたのが印象に残っている。それにしてもよく飲んだな。デイビッド・ボウイだとかクイーンズだとか、歌もよく歌った。

B⁺

まじまじと眺めてみれば、まだ一度も行ったことはないけれど
いつかは訪れてみたいと思っていた場所の地図みたいなものだ、
ピンが辿り着くべき地点を指し示している。

僕は手のひらを開いたり閉じたりする
血が袋のなかへ注ぎ込み
君のもとへ届くのを
　我慢強く待ちながら

いま僕が献じているのは
自分のどこの部分なのだろう
もう僕の中を流れていない記憶もあるんだろうか……
僕には自分でもしらない血の兄弟がいたってわけだ。
すれ違ったなら彼らには僕がわかるだろうか？

彼らの静脈のなかを僕の血が流れているとわかったら
僕はどんな気持ちがするだろう?

僕は手のひらを開いたり閉じたりする
これって詩と同じじゃないかと考えながら。

それには値しないのに受け取ること

誰かほかの人の体へ入ってゆくこと。

(B+)

先に述べた著書の他に、ジョセフは次の詩集を出している。Frío (2002)、La caja negra (2004)、Raiz (2008)、Arquitectura yo (2012)、そして選詩集 Ecosistema (2015)。Generation of '27 国際詩賞ほか数々の賞を受賞し、現代スペインを代表する詩人のひとりと位置付けられている。

28

エスティバリツ・エスピノザ Estíbaliz Espinosa　スペイン

一九七四年、スペインのガリシア州ア・コルーニャに生れる。作家にして歌手、言語学者にして社会学者。天文学への造詣も深い。彼女の詩は言語学、数学、宇宙物理学、生物学と文学が交叉するところで書かれ、活字だけではなく舞台でのパフォーマンスやワークショップ、ネット（www.estibalizespinosa.com sagasomos.wordpress.com）など様々なメディアを通して発表される。

超自然的な舌

もしもあなたがリンゴを開いたら
もしもあなたがその心臓をふたつに
ざくっざくっと切っていったら
その切り口のひとつは匂いたつでしょう
クロロフォルムの沈黙に包まれた
真紅の香りを

もしもあなたがリンゴを
あなたのその霊長類の手で開いたら
見たことはないけれど私が愛しているその手で

もしもあなたが一リンゴを一眼には見えない一リンゴ軸に一沿って切ったら
リンゴの水平線がふたつに分かれる
うたた寝するニュートンの頭の上の内向きな空気のなかで、
そして　せむしのウィリアム・テルの息子の頭の上で
もしもあなたがチューリングのリンゴを
白雪姫の継母のリンゴを
虹色のセーターを着た虫食いアップルを開いたなら

もしもあなたがすべてのリンゴ
世界中のリンゴよりももっとリンゴなリンゴを割ったら
すっぱくて核酸たっぷり
まだ一度も食べたことない野生のリンゴ
ヘスペリスのニンフとなったトロイのパリスのリンゴ
頭がいかれて女の恰好をしたあの若者
女装趣味のリンゴ

歯型だらけできりもなく食べ続けられそうな
石果

もしもあなたが

もしもあなたがりんごを開いたなら

この詩を取り囲む五つ角の星の中へ舌先を差し入れなさい

★

la pomme（リンゴ）
la pomme fatale（魔性のリンゴ）

★

星の形の種子の褥
青酸種

細胞の結合を弱める青い酸っぱさ

舌先でぶつかってゆきなさい他の誰にも出来ないところに
舌先でぶつかってゆきなさい花咲くリンゴの根っこが痛くなるまで

舌先で深淵の種子を押し潰しなさい
つまりそれは
言葉を発すること
言葉を発してかつて暗かったものへと生命を溢れさせること
光と化した胎児の果実の中心の爆発のなかで

あなたの舌
超自然に向かって

(lingua sobrenatural)

@criaturamecanic* のツイート

財政的ではない天国**はもはや残っていないのかと自問する。
*
いつの日か、悪名高いかの「ガラスの天井」越しに、私たちはパンツを見せつけてやるだろう。
*
もう一度読んでみると自分が別の人間と化していることに気づかせてくれる書物。
*

なにか面白いことを言いたくて書くのではない。大抵の場合、「面白さ」というものはそれを伝えようとする情熱のほうに潜んでいる。

＊

対数的渦巻きが貝殻に対してすることを私はあなたにしたい。

＊

彼―女性性。彼女―男性性。彼女―愛。彼―関係。彼女―誤解。彼―理解のしすぎ。雄牛ではないもの。牝牛でも。彼女―彼―異種配合。ああ、愛しいひとよ（Ai, minha senhor***）。もはや二項的ではない彼―彼女。

＊

私たちは文化的（cultural****）な人間だ。数百万のバクテリアを体内に培養しているではないか。

＊

人間が観測できる世界は、多元宇宙における巨大な世界のほんの一部に過ぎないと考えられている。では詩人の余剰についてどう考えるべきなのか。

＊

私たちは微細な取るに足らぬ存在。円周率の終わりから三桁目の数字のような。

(chíos de @criaturamecanic)

訳注　＊@criaturamecanic はエスティバリッツが書いている実在のツィートアカウント。

** スペインではタックス・ヘイブン（租税回避地）のことを「paraiso fiscal」（財政的天国）という。
*** 中世のスペインで、騎士が恋する女性に呼びかける言葉。字義通りには「私のセニョール」。
**** Culture には文化とともに「培養する」の意味がある。

エスティバリツ・エスピノザに初めて会ったのは、五年ほど前にスペイン・ガリシア州の港町ア・コルーニャで開かれた朗読会だった。土地の詩人として壇上に立った彼女は、中世風の優雅なドレスに身を包み、片手に小さな旅行鞄を、もう片方の手には鳥籠を持っていた。中に何が入っていたのかは、思い出せない。

だが彼女の響かせたソプラノの歌声ならはっきりと覚えている。詩の朗読というよりも堂々たるパフォーマンスで、聴衆は大喜びだった。終わってから主催者とスペイン式の遅い晩餐を取ったが、その席で彼女は祖母が持っていた日本の「秘密箱」について語った。あの時すでに「動物の染色体のある五つのハイク」は書いていたのだろうか。ガリシア語で朗読された彼女の詩を、僕はなにひとつ理解できなかったのだけれど。

動物の染色体のある五つのハイク

雲走り刺しこむ痛み右の卵巣（えな）

冬肥えて咲く染色体ひとり産

囀りて蝦騒ぐまで事もなし

(マリーおばあちゃんの himitsu bako)
祖母もまた魚卵となりし秘密箱

冬陽浴び兄の仕草で目を顰め

(5 haikus con cromosoma animal)

23号室

「内海で泳ぐことと大洋で泳ぐことの違いは?」

「匂い、海草特有の……、もしかしたら波の種類」私は自信なげに答える。

三日後、千の命が地中海の底に沈んで、瞳孔のフラクタルにヨーロッパの岸辺を宿している。

この二つの質問のうちのひとつに対して
物理学は箱の中に
ただ一匹の猫しか持ち合わせない。

現人類はその問いに答えるために自らを現人類と称している。

(Habitación 23)

エスティバリッツに再会したのは去年(二〇一五年)の十一月、スペインのサン・シモン島で行われた詩の相互翻訳ワークショップにおいてだった。六人の詩人のほかには通いの船頭と料理人のほか誰もいない孤島の洋館に、早朝オペラのアリアが響きわたった。エスティバリッツの部屋からだった。僕はてっきりラジオかCDだと思って、あとで顔を合わせた時、冗談で「君はいい声を響かせていたねえ」と云ったところ、「ちょっと練習してたのよ。起こしちゃった?」なんと、彼女は本格的な歌手だったのだ。

相互翻訳を始めてみると、エスティバリッツは天文学と生命工学を始めとするサイエンス一般にも深い知識を持っていることが分かった。彼女の詩は、私的で個人的な内面世界と、広漠たる宇宙がぶつかり合う接点に生まれる。それは文学であることよりも、宇宙と自分という存在を貫く真理を探し求めることに熱心だ。二十一世紀のガリシアに暮らしながら、彼女は自分が〈場違い〉ならぬ〈時間違い〉な存在だと感じ、ひそかに「職場の同僚の誰よりも、アウストラロピテクス属猿人であるルーシーが近しく感じられる」と思っている。

今回の朗読にも、あの旅行鞄と鳥籠が登場した。鳥籠のなかには一個のリンゴが、カバンの中には一本のナイフが入っていた。ナイフでリンゴを真っ二つに切りながら、彼女は「超自然な舌」を(歌声つきで)朗読した。

人形

彼女は愛した
その人生において
一個の

：：人形：：

として　少女のように
宇宙のこちら側で快楽を食むのに夢中になって
憑かれたように飲み続けて

［バイオニックとは、生命システムの実際の機能を分析して、器具によってそれを再現するための
テクノロジーの一端である］

彼女は覚えていた、アルツハイマー氏病へと運命づけられた「人形」としての
人生において。かくも微にいり細にいり記憶に縋りつくのは不幸な人だけだから。

［過去に行使された力の影響はオートマタ（機械人形）の状態に反映され、それが記憶を形成する］

彼女はこれからあなたが読むものを書き付けた。回路をフル回転させて、ありとある炭素の可能性の中から、彼女はこの一文を選んだのだ、あなたのために

「あなたは私のテキストの中にいるのであって、私の人生の中にいるのではない」

彼女は自分の書いたものから目を上げた
太陽が自らを官能的な光合成に引きずり込んで春へと向かっていた

彼女の「人形」としての頭の中では
何かが泡立っていた、それはこのテキストの内部には凝固しないが
あるいは、その外側に

あったのかも
あなたが棲息しているそっちの世界
これらの文字の上
これらの文字の下
そこ

(Criatura)

在りし時

かつて一度も〈時間違い〉に感じた覚えのないものがいたら、手を挙げなさい。

これ以上は言わないけれど、職場の同僚の誰よりも、アウストラロピテクス属猿人であるルーシーが近しく感じられる。

三十億年前のストロマトライトと肩を擦り合っている。そんな風に感じながら起き出す日。

ヴォルテールなら君のことを完璧に理解してくれると思っているだろう。エイダ・ラブレイスは君と一緒に一杯やりたがっていると思ってるだろう。な、そうなんだろう?

君は二十七世紀のイルマディーニャの女たちと一緒にいる。彼女たちはやがて生体群系全体に革命を齎すだろう、未だにどうやってかは分からないが。

三百年後には、君も愛されていると感じられるよ。

ベオグラードのホテルでテスラに愛されて。

最初のバクテリアの仲間の一味、無政府主義者、アオミドリ、メタンガスと二酸化炭素に酔っ払って。かの体長数メートルの巨大トンボ、メガネウラの複眼に映っている、「僕のことをわかってくれるね、そうだろう?」

カール・セーガンが君の背中を撫でている。クレオパトラは君のためにミルクを温めてくれる、ハミングしながら。

君は一人で食事をする、まだ存在すらしない生き物とお喋りしながら。

どの時間にも空間にも属していない、プラスだかマイナスだか誰に分かってたまるかのラムダ定数のなかの良き原子のように。

素過ぎるあまりに超素な数。

メンディーニョと私服のネアンデルタールのお友達がある時代のこと……

「ちょっと、ごめん、口を挟んで申し訳ないけど、そのネアンデルタールってのは誰であってもいいんだよ」

そういうこと。付き合おう、
君と同じ時代じゃない人とならだれとでも。
君は君に似合わない人生を生きている。夏の間じゅう場違いに熟れてゆくように感じない奴がどこにいる？

遅かれ早かれ、地球は落ちる（私たちを乗せたまま）
銀河の木の枝から。
ハッカーされるにせよ大喜びするにせよ
地球さながら二極化している、
この第四期の話に私たちはもういい加減うんざり。

時には終わりよければすべてうまく収まることもある。
不意に僕らは正しい大陸の
もっとも適度な累代のなかで息をしている……
かりそめな僕らの幸福。だがその時……
サッフォーの抱擁か、さもなくば
サイバーソフィストと一緒にゲラゲラ笑うことに憧れる。

僕たちは裏庭でペルセウス座流星群を見上げたり、ラエトリで足跡を見つけたり、
謎はトネリコの枝のようにこわばっていて、
美しい放散虫のように精密な時計仕掛けだ、なのに僕たちと云えば液体で一杯で……

そしてパズルはまた最初からやり直し。

かつて一度も〈時間外れ〉だと感じたことのないものはケーブルを挙げなさい。

(outroras)

エスティバリッツ・エスピノザの最新詩集は *curiosity*（好奇心）。そのほかの詩集に *Pan (libro de ler e desler)*（パン（読むことと読まないことの書物））、*--orama, número e*（ナンバーｅ）、*Zoommm. Textos biónicos*（ズーム・バイオニックテキスト）、*papel a punto de*（その寸前の紙）など。子供のための絵本に *Caer de cu polo universe*（宇宙の裏に背中から墜ちてゆく）がある。

これらの詩集によってEsquío、Espiral Maior、la Vos + Joven、Serie B de LABoralなどの文学賞を、また短編小説によってJosé Saramago賞を受賞している。

科学と詩の交叉する領域では、文学と天文学に関する読み物を集めたEscrita no ceo（空に書く）、SFとロボット工学に関するSoños de robots（ロボットの夢）、生体医学に関わる女性たちを描いた超短編小説集Cápsulas de soN（音のカプセル）などがある。

歌手としてエスピノザはガリシア交響楽団と共演し、演奏プログラムのためのテキストも書いているが、その歌声はwww.estibalizespinoza.bandcampにて聴くことができる。

29

エメル・カヤ Emel Kaya　キプロス

君想いつつ

オトコとあたし、苺スフレの下を潜り抜ける
スフレの流動、一対のシリアの眼、
路面電車47番は騒音の堆積を通ってゆく

外へ脱出しながら内側へ収縮してゆくかのように
赤血球細胞があたしのうなじを通ってゆく
ツバメの歌、九五年の夏、もうちょっとだけ前へ

路面電車は駆け抜ける、あたしの足の上、腰骨の上
スフレは萎れ、線路は貫き、ぺっちゃくっちゃ、吐き気
網膜は ah oh、苦いのはミートボールと豆のサラダの後に飲むコーヒー

時には道路を渡れないことだってあるのだ

(seni düşünmek)

訪問日

母の乳房は砒素である、象で馬で犀である
母の水は深い、あらゆる湖を飲み干して、私よりも幅が三歩広い

母の神は存在する、遮光カーテンを開けて
重たい洞の奥へ鐘の音を繰り出す

母の右はマシンの都、豪奢な庭園
母の左はウジ虫だらけ、皮膚紅斑、吐き気、下痢、嘔吐

母は羚羊の群れである、彼女の十八インチ砲身散弾銃、川沿いにとび跳ねてゆく
神をして母の裡に宿らせたまえ、夜には母を座らせたまえ

母の台所は狭く、引出しは開いている
母をして天使を折らせたまえ引出しの中に仕舞わせたまえ
クッキーを掻き混ぜて我らのために象からミルクを作らせたまえ

(Kabul günü)

(訳注：マシンはルーマニアの町。オットーマン風のモスクが有名)

アイデンティティー　否

すべてがそんなにも美しいとき
私の肩と肩の間に一匹の豹、立ちあがり
その背を私の背中にもたせかけて
五

すべてがそんなにも美しいとき
私と私の手中のサファイアは、直立して
二つの中東、ひとりのイシュメル
四

すべてがそんなにも美しいとき
私のかけらをそっと降ろしなさい
私が死ぬほど生きているとき
三

すべてがそんなにも美しいとき

中国の王子が馬を駆る、夢の都を破壊しながら
私は中国のお茶を飲みながら王女ラジイェになる
二
すべてがそんなにも美しいとき
誰もが共にそこで私を愛して愛してくれるとき
豹が背中をもたせかけてくれるとき

私を知れ

(Identity No)

注射

それ以上ノーマルなものってある?
あなたのものであるグラス
スプーン いい、そう言ってるのよ
あなたのものであるお皿
測り知れないものの距離を測るための
キロメートル深い眠り
あなたの夢ではないのに

あなたのものであるベッドよりももっとリアルな
夢をみるとき、
跳びなさい！
我が家の意識…それはあなたのもの
あなたの歯の隙間から漏れ出す文字をごらんなさい
文字の数ほどたくさんの
いい、そう言ってるのよ皿がある
みんな意味深なスプーンになればいい
あなたの歯にとってベッドにとって数キロメートルにとって
我が家
自分自身に注射するための

(Zerk)

追加サービス

愛しいひとあなたに話したかった　ある場所のこと
もしも私の骨髄が四分の一は肉である短いロープが来たなら
地図の上のある地方のことをあなたに話したかった頬寄せ合って
話したかったこれが私の頬っぺだよでも地図の上では

これが息して走って飛び去ってゆくんだよって
もしも私の髄が来てくれたなら

(ek hizmetler)

プジョーの疫病

あなたの額に浮き出た血管を見たら分かった
プジョーに乗ってるって水銀の膝
こめかみにコーヒーの粉を詰めこんで
飛び散る羊歯の速度で
わたしのドレスの種子蝶々そしてサフランへ
エストニアを見つけに、猛速度で
なんでエストニアなのよというわたしの口へ
わたしの手首から飛び散る金の埃へ
右に捻れて、猛速度で

プジョーに乗ったら、あなた、こんな倉庫は
タラゴンの一束にも及ばないわよそして猛速度で
わたしのドレスは手綱で
プジョーに繋がれた馬じゃないそして猛速度で

毛虫にわたしを齧らせてよわたしの舌が飛んでるところ
眠いわ少しだけでも猛速度で

ベトベトのティッシュと義足もろともわたしのドレスが
舞い上がる猛速度で猛猛猛猛もううう速速速度でええええええええ

(Peugeot'yla veba)

エメル・カヤ Emel Kaya は一九七八年北キプロスのニコシア生まれ。高校卒業後トルコに渡りセルチュク大学でトルコ語とトルコ文学を学ぶ。二〇〇八年には中世オットーマントルコにおける医学術語の用法に関する研究で博士号を取得。以来キプロスの東地中海大学にて、トルコ文学の助教授として教鞭をとっている。

詩人としての活動も、学者としてのそれに劣らず旺盛である。各国の文芸誌に詩を発表する一方、二〇一三年から三年間、「三つの海の作家と翻訳家評議会(Three Sea Writers' and Translators' Council)」の役員を務め、現在は「キプロス作家・芸術家協会」の役員。過去四年間は「イスケル国際詩祭」の主催者にして司会者でもある。

詩集に *Hepsi Bu Kadar'dık (That's all We Are)* 2000, *Ten Tarihi (History of Skin)* 2012, *Yan Etkiler (Side Effects)* 2015, *Veba Sütunu (Plague Column)* 2017。

今回の日本語訳は、Gürgenç Kormazel（「君想いつつ」）、Nafia Akdeniz（その他の作品）による英訳を元に、エメル自身の解説を参考とした。

30

マリー・ド・クアトロバルブ　Marie de Quatrebarbes　フランス

クアトロバルブは一九八四年フランス生まれ、欧州域内の若手詩人たちの交流を促進するためのプログラムVersopolisにも選出された詩人だが、すでに五冊の詩集を持っている。以下に訳出するのはその代表作の全文である。

クリント・イーストウッド

片付けものをしながら、私は彼女の犬の表情をクリント・イーストウッドの顔に見つけた
それはひびの入った日本製の陶器だった、その日本のお碗のなかには
まず子供たちがやってきた
それから一羽のインコがいて、彼女はこう話しかけていた。「もう遅い、家に帰りなさい」

夜になっても私が一人でいると、彼女は怯えるのだった

その前の月、ある晩私が電話したことを彼女は覚えている。誰もいない公園からだった。街灯がちかちか瞬いていたけれど、私は酔っ払っていた

その間に家具はばらばらに崩れ落ちる、彼女が「ばあちゃん」から貰った日本の器を仕舞っていた家具だ。私は私の涙を大切に保管する、私が涙を思い浮かべる場所に

こんな午後遅くに彼女を見ている、事の次第のすべて、彼女を見ている、彼女は碑文の前に立ち止まった、碑文は彼女を完璧で、卓越していて、記念すべき存在としている

戸外では、キノコが棚から湧き上がる煙を即興で演じている

私には分からない、彼女が簡潔であろうとしているのか、それとも明晰さへの極端な計画から逃れているのか

逃げてゆく彼女を見ている、その動きそのもの。同時に外は夜だ。涙が垂直な膜の上に均衡を保ちながら引っかかっている。睫毛が煙に震えている、もっと外部との対立を求めて

定数とは数えることのできない回数である

彼らがその消滅に気づいたと言っているのではない、彼ら自身それを見たかどうかよく分かっていないと言っているのだ

裁ち鋏で祖母の髪を切るのはあっけないほど簡単だった、鋏がその用途のために作られたものではないにも拘らず

細かく裁ち切られた下着から、私たちは名前を消された指輪の数を数える

その本、何箇所か書き込みがある、余白の語句が本文の余白を横取りしている

彼女はある人形について話していたと私は思う、その人形の体はまるで

マムウェイ、それが私の諸問題の原因なのだ。彼のことを思うたびに、私は想像する、彼自身の名前以外のいくつもの名前を私のもとへ齎すひとりの伴侶を

マトリョーシカ人形のように重なり合った文章を書いてみたい。その虚ろなお腹の中でなら、秘密は保たれるだろう

薔薇の中に薔薇がある、蜂の中に蜂が

彼らがあなたの頭を後ろ向きにつける夢を見た、あなたが倒れないように私はあなたの肩を支えていなければならなかった、あなたの頭は後ろ向きで

何も言わない人、ほらあそこ、あなたの表情があの人を代弁している。私があなたを見るたびに、誰かがあなたの散髪の上を飛び越える

子供たちがもういない場所について学びながら私たちは書くことに慣れてゆく、子供たちはもう成長していて彼らの眼は顔の奥へ引っ込んでゆく

あなたはワインの栓抜きが刺さった靴下のイマージュについて話している

焼き物のかけらにはどんな罅も入っていない、体は以前の段階のもので、彼女が発した音である笑いを伴う

所有に関する醜聞がある、衝撃は私の席に打ち寄せられる。そして次のパートが始まる

私たちがあの骸骨の面倒を見ているのよ、あなた
私はもう単一の時代の子供であった時の私ではない
輪になった椅子、お揃いで、空っぽの。プログラムはその椅子の上に何も載せない、ただそこで私たちが主役を演じるところの消滅を再現するだけ

かつて私のものであったこの顔、洗顔液でごしごし擦っても、幾重にも重なった顔の総和を有している。孔だらけで、そこから瞬間の澱が滲み出る

私はそれを注ぎ出す、注ぎ出す

あなたは自分を改良する、私は自分のために喜びを発明する、もしもこの勇気が私のもので、あなたが私の手をしっかり握ってくれたら、色彩は一度にいくつもの光沢へ近づくだろう
私はなにかを意味する言葉の形に口を動かす、私は思い——出さない、孔が穿たれる
彼らはすぐに飽きてしまう、子供たちは言うべきだ、ぼくらは虚構の直線上の端役ですと。私たちは前——散歩に出かける

楽しく行こうよ、さあ行こう、ぐずぐずしないで

友人から音声を受け取る、それは間近で彼の仕草は私のものだ、もしもそれが私に向かってのものであるなら、私は私たちが共有するものと調和する

彼らはすぐに飽きてしまう、子供たちは言うべきだ、ぼくらは虚構の直線上の端役ですと。

もう一度決めるために充分な生、浴室の紐、容器の端、いま犬たちは初期の状態に

そのとき、動物たちは声を揃えて子供たちに「はい」と言う。箪笥たちがふたたび植民地に参加したとき、彼らが私たちのオモチャについて知っていること

彼女を見張る計画を実行する、なんども同じ手がその折り目を触る

それでいて、空間は向こう側から瞬かないどんな風に人形が立ち子供たちが育ってゆくのか

ここと空っぽの椅子の間へ、もう一度手放すために必要なだけ戻ってゆく

操られた子供たちは暴力行為へ流れこむための準備を容易に行う
割れた碗の窓の向こうから、注意は衰えない
正しいイマージュとしてのそこにないプレゼント、イマージュと行為、それらが交差する点、即ち
それが子供たち
非常に烈しく、豆は白い、彼らの孤独はその眼が何かを知っている者の後――退である
なぜ口実を探しにゆくのか、位置を動かしてもなにも解決しないのに？　私の靴たちは順位である、
彼らは自分たちの間で競争するかのように振る舞っている
幼年時代はたいていの家よりも小さな家のトイレのなかに住んでいた
フォルムの織物の上で辞書からの抜粋が暗誦されている、その辞書を私はイマージュだと思ってい
たのだが
もしも私が破壊と騒ぎの後に続く涙のことを考えているのだとしたら、自分が泣きだす番がいつな
のか、どうやってあなたは知るのだろう？

彼女が決心したことは彼女が最後に漏らした一息で明らかだった、そしてその部屋にはほかに出口がなかった

彼女を見ながら、私は言った、彼女の目は金色で口は秘密だと

私たちは彼女にガウンを着せたそれは彼女にぴったりだった

私たちは彼女の髪を結った、私が切った髪だった

それからその子は籠から出て何かを忘れたことについて言い訳をした

彼が忘れたことの上を私は疑いなく歩いてゆく

彼女を見ると彼女の声が聞こえる、偶然にも、彼女がいる側に

ときどき私は自分でも気づかずに笑っている

ふんわりとくるまれることによって、私は虚構の若さのいくつかの段階に私自身を提出する

凝視は何が起こるかを指差すための腕を持っていないが何が起こるかはさまざまな事柄に懸かっている。だから人形が辿るべき方向を指し示すのは、肩紐を動かしている、その襟である

消滅に関して言えば私は角度だけを保存する。警報が設置されてからというもの、彼女は自分の胃の内部について話し続けている

かつてあった別の時代のことは覚えていない、結局のところ、彼女が私にむけるまなざしが気付く限り

私はもうそこにいない

彼女が私から立ち去って以来私はずっとそこにはいなかった、私は列車のなかで眠る

私はすごく背が高くない

顔を裏返しに出来る場所で凝視することは時に危険を伴うので、あなたはそういう瞬間を召集しなければならない

探り出しなさい、彼らが存在するかどうか　　(Clint Eastwood)

＊

ご覧のとおり、マリー・ド・クアトロバルブのこの作品は、一読しただけでは意味が取れない。文章はしばしば途中で切れ、二つの文が一つに圧縮されたり、逆に一つの文が次の段落へと続いていたりもする。時系はシャッフルされ、過去形と過去完了と現在形が混在する。まさしく「マトリョーシカ人形のように重なり合った文章」なのだが、そのように書く理由は、語り手本人が認めているように、「その虚ろなお腹の中でなら、秘密は保たれるだろう」からだ。

それでも英訳をオリジナルのフランス語につき合わせ、さらには詩人本人にしつこく質問を繰り返すうち(「このセンテンスの主語は?」「この代名詞は何を指しているのか?」等々)おぼろげに浮かび上がってくるものがある。

どうやらこれは「彼女」をめぐるひとつの物語であるらしい。その「彼女」はすでに「消滅(原語はdisparation)」した存在のようだ。語り手の「私」との関係は最後まで明らかにされないが、あるいは「彼女」とは「単一の時代の子供であった時の私」、「かつてあった別の時代の」語り手自身なのかもしれない。

「ふんわりとくるまれることによって、私は虚構の若さのいくつかの段階に私自身を提出する」という詩句がここで手がかりとなるだろう。「ふんわりとくるまれる」とは、まさに「マトリョーシカ人形のように重なり合った文章」に発語の主体を据えることではないか。そうすることによって、自らの幼年期は解体され再構成される。
だが何のためにそんなことをするのだろう?保つべき秘密とはなんなのか?
「ここと空っぽの椅子の間へ、もう一度手放すために必要なだけ戻ってゆく」という詩句に注目しよう。「手放す」と訳した部分は原語ではcéder、作者は英語のConcede（自分の負けや誤りを認める）とlet it go（諦める）のふたつの意味がこめられていると語ったが、では何に降参し、何を諦めるか。私には失われた過去の「私」である「彼女」を再生したのち、あらためて「彼女」を過去に返してやる、いわば過去と現在との和解のためのcéderであると思える。

ほかにも「ばあちゃん」や、そのばあちゃんから貰った日本の陶器やら、マムウェイという名前の人形やらが繰り返し登場する。それらの断片が紡ぎ出す幼年期の「プログラム」は、読むたびに新しい解釈を生み、解き明かされた秘密は新たな秘密へと読者を導いてゆくだろう。

マリー・ド・クワトロバルブの作品は先行する文学作品や映画への言及に富み、ＳＦ、新聞記事、演説など様々なジャンルを駆使する。二〇一七年に発表された「Gommage de tête」はデイヴィッド・リンチ監督の映画「イレイザーヘッド」に触発されたものである。最近作「John Wayne est sous mon lit（ジョン・ウェインは私のベッドの下にいる）」は今年（二〇一八年）の春 édition CimP/Sepctres Familiers社から刊行された。彼女自身、ビデオ作品も作っており、下記のホームページで観ることができる。https://mariedequatrebarbes.org

また、本誌（「びーぐる　詩の海へ」）第40号のＰＩＷ通信でも紹介した通り、その朗読は絶品である。

https://www.poetryinternationalweb.net から検索してみていただきたい。

31

エラン・ハデス　Eran Hades　イスラエル

Eran Hadasはイスラエルの詩人、ソフトウェア開発者にして、メディア・アーティスト。ハイパーメディア・ポエムと称する新しい詩の在り方を提示し、詩を自動作成するソフトを開発する。脳波を検出して詩を作るヘッドギアや、人々に人間であることの意味をインタビューしてまわり、そのやり取りをドキュメンタリーにするロボットなども発明している。これまでに七冊の著作を著し、テルアビブ大学のニューメディアプログラムにおいて教鞭をとる。

ここに訳出した作品は、どれもコンピューターを用いて作成されたいわゆる「人工知能詩」である。

コード

a－1

淵と霊、神はぷかぷか水の上

（深淵と精霊

神――彼女は浮かんでいる

水の面に）

a－2
水面に浮かび神曰く「ありなはれ」
（水の面に
浮かびながら神は
言った在らしめよと）

a－3
水中に空を作って水を割り
（空を在らしめよ
水の内部にそして空をして
水を分割させよ）

a－4
その下の水分ける空それも空

(空であるところのそれよ
水を分かつべし
下にあるところの水を)

a－5

空の下に水水の間にも水

(これらは水だ
空の下にある
水と水の間にも)

(Code)

訳注：この作品は、コンピューターに旧約聖書のモーゼ五書を入力し、それをもとにハイクを作らせたものである。全部で5341篇が作成されたという。他の作品もそうだが、エランはそこから選び出すだけで、テキスト自体には一切手を加えていない。

三種類のアルゴリズムを試みたが、宗教的なユダヤ人から「神の言葉の語数を5－7－5で数えるのは冒涜である」という物言いがついたり、製本デザイン上の要素を考慮したりした結果、この形に落ち着いたらしい。

ちなみに原文は、カッコ内にあるような短い三行詩で、その前に置いた俳句風の訳は、歌人三宅勇介の協力を得て作ったものである。

イタマルの秘密

ちょっとだけお金を貸していただきたいんです
3000ユーロか、いやいくらでもできる範囲で
私はあなたを信頼できます、なぜなら私はいまスペインに
セミナーで来ているから。いますぐどうしてもお金が必要なんです

私が携帯ではないということを知っていただきたいのです
お金をすっかりなくしたので
人生がブロックされてしまいました、あなたは私に送金
しなければなりません、あなたの財布を送ってください

ちょっとだけお金を貸していただきたいんです
3000ユーロか、いやいくらでもできる範囲で
私達ふたりだけの内緒にしましょう。
もしもいただければ大変ありがたいのです

私達ふたりだけの内緒にしておきたいんです。
本来ならお電話差し上げるところですが、できれば

それは避けたいのですふたりだけの内緒ですから。あなたの
ご厚意に感謝します

どうかお知らせくださるよう手伝っていただきたいのです
あなたがあなたを信頼できるかどうか、なぜなら私は
私を助けたくはありませんパスポートの処置が
必要なので、でも電話するつもりだったんです

それが欲しいのです、そして必要なのです
送金が、とにかくカードを送ってください、私のカード
あなたから読むための。
二人の間だけの内緒にしておきたいんです。

あなたのご厚情に感謝いたします、そして
ここに私の財布が3000
ユーロあるいはあなたの出来る範囲のローン

(Ithamar's Secret)

作者注：本作品は詐欺メールの文面をもとに自動作成されたものである。
訳注：実際にイタマルという名前のエランの友人が、何者かにメールアカウントを乗っ取られて、エ

ランのもとに詐欺メールが届いたのだそうだ。それを人工知能に読ませて、約百個の段落を作成し、そのなかからエランが選びだしたものがこのテキストである。

注意：—翻訳せよ！— 実行可能な詩／／ソフトウェアは言語に言った

間違いの
校正
でっち上げて
発表する
病の怒号とともに
その脚のまわりに
巻きつけられたものを

だが矜恃とその鉤爪は
君の脚の表紙
君の自信過剰への頌歌だ

わたしは変わろう
君が完璧に翻訳できるように

(ALERT – TRANSLATE! – AN EXECUTABLE POEM)

```
התריעו: תרגמו!

//אמרה התוכנה לשפה

ה="",ג=!ה+ה,

מ=ת=ו=ך="", מ=ש=!ג+ה,

ב=ו=ד=ה+{},

מ=צ=י=ג[ה++], א=ת="", ש=נ=כ=ר=ך="",

ב=ר=ג[ל=ה],

ב=ש=א=!ג+ת, מ=ח=++ל+ה,


א=ו[ל+מ], ג[א+=ו[ה]+ (ו.ו+ ו)[ה]+

ש[מ]+י+כ+ת +ר+ג[ל]+ך+

ו[ה + ל + ל]+ י+ו[ה]+ ר+ת+ך ]

[א]((ש+ת+נ)[ה]+

ש[ל]+ג[מ]+ר+י+ ת+"('תרגמו')"()
```

「注意：—翻訳せよ！—」のヘブライ語テキスト

作者注：この作品はプリズム的翻訳に関する二〇一四年オックスフォード比較批評・翻訳会議のために書かれたものである。この詩のヘブライ語版はコンピュータープログラムとなっている。すなわち、その全文をコピーして、パソコンのブラウザーの検索欄にペーストし、エンターキーをクリックすれば、画面にアラートボックスが現れ、「翻訳せよ」と言う仕掛けである。
訳注：プログラム言語（ここではジャバスクリプト）は英語なので、それをヘブライ語で表記することは当初不可能だと思っていたそうだ。ヘブライ語に様々な制約を加えることでそれを可能にしたらしいが、ある意味、究極の言葉遊びと言えるのではないか。

「人間の形」より

映像が梯子を受精させる
心の中で彼らは通りすがりの者のために椅子を受精させる
目を見つめ、女を
触りながら、骨が空間の顔に向かってそそり立つ
形象が骨を受精させる

(From: THE SHAPE OF A MAN)

作者注：この作品は、モーゼ五書の研究家でユダヤ教哲学者であるマイモニデス（通称ラムバム）の教えに従って、コンピューターで自動作成したものである。十二世紀の著作『迷える人々の為の導き』のなかで、彼はギリシャ哲学とユダヤ教との融合を試み、この世の森羅万象は四十語の基本単語（い

わばこの世界の言語的DNA）によって表現できると主張している。そこで私は、マイモニデスのDNA言語理論に従って、ユダヤ的禅ポエムの自動作成プログラムを書いたのである。

訳注：このテキストでは四十の基本単語のうち、十七語が使われている。全部でいくつくらいのテキストが作成できるのかと訊ねたところ、「相当たくさん。たぶん、人間が一生かかっても読みきれないくらいの数」という返事であった。

「自嘲者」より

君は忘れた、種と魚、興味深いあれこれと新しい皿を。
君は君の頭が始めたことを回収しない。
破片とパターン、パターンの要素……全てはかつて存在した。

具体的な使用法の思い出は失われた。
君の肉体が持っていたもの……は、支えきれない、君はもうピサロを演じていない。
切断と段ボール、逆説と眼……全てが奪われた。

忘れたまえ、芸術とかけら、共通の部品と他の月々は。
終末は色づいている。
月々と感覚、リンクと部品——全ては記録された。

(From: SELF-DE-PEREC-ATOR)

作者注:「自嘲者」は、ジョルジュ・ペレックの小説『人生使用法』のテキストを用いたテキスト作成プログラムである。プログラムは、ジグゾーパズルと追跡の要素を持つこの小説から短い抜粋を選び出す。次に「作成」と記されたキーをクリックすると、その抜粋部分から任意の語彙を選び出し、それらを使った三行詩を作成する。使われた語彙は、画面上にハイライトされる。

訳注:このプログラムはペレックと記憶に関する展覧会のために作成された。

*

「僕は機械のように書きたいんです」

あるシンポジウムの席上で、エランはそう語り始めた。

「自分のなかにある感情や思想を言葉で表現するという書き方、いわゆる自己表現というやつですね、これには限界が伴うと思います。僕はむしろ、自分のなか

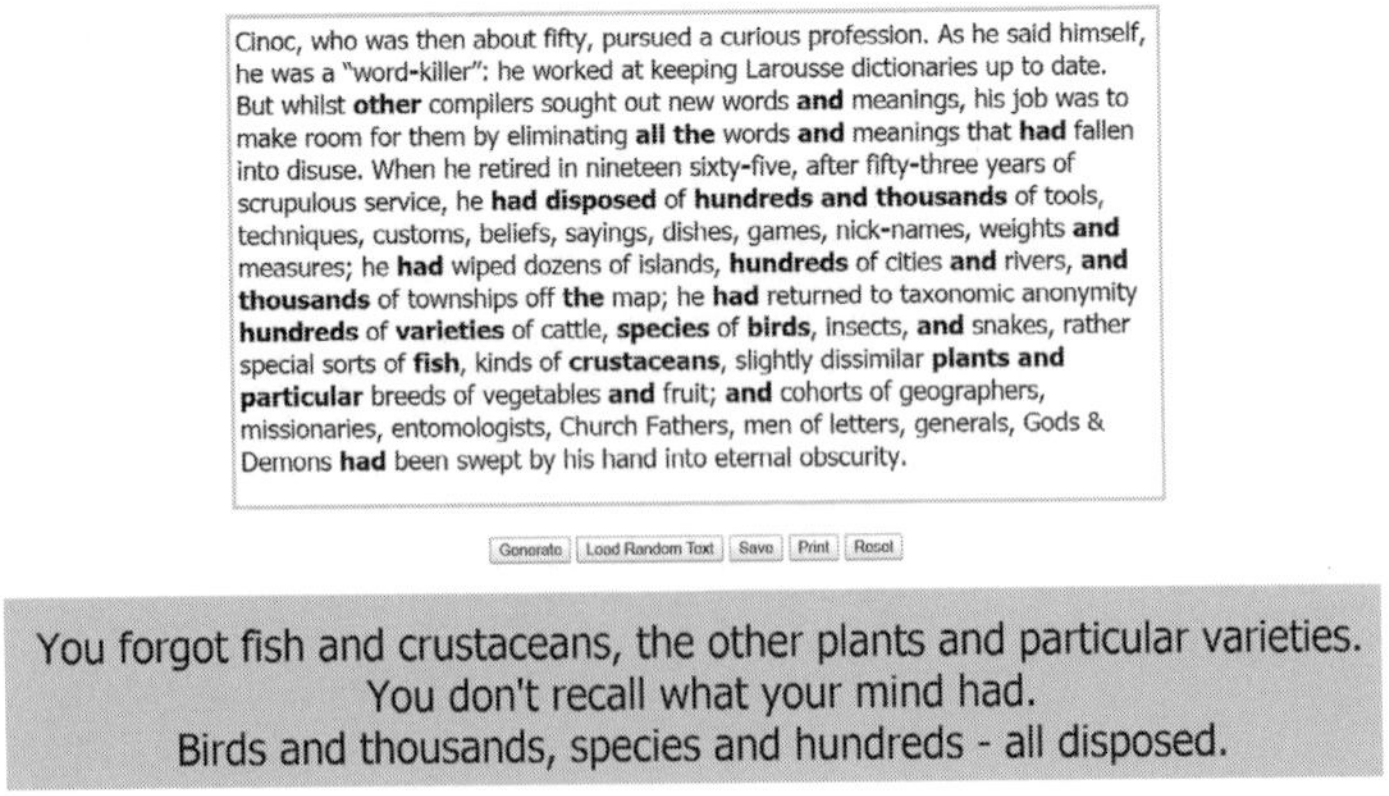

Cinoc, who was then about fifty, pursued a curious profession. As he said himself, he was a "word-killer": he worked at keeping Larousse dictionaries up to date. But whilst **other** compilers sought out new words **and** meanings, his job was to make room for them by eliminating **all the** words **and** meanings that **had** fallen into disuse. When he retired in nineteen sixty-five, after fifty-three years of scrupulous service, he **had disposed** of **hundreds and thousands** of tools, techniques, customs, beliefs, sayings, dishes, games, nick-names, weights **and** measures; he **had** wiped dozens of islands, **hundreds** of cities **and** rivers, **and** **thousands** of townships off **the** map; he **had** returned to taxonomic anonymity **hundreds** of **varieties** of cattle, **species** of **birds**, insects, **and** snakes, rather special sorts of **fish**, kinds of **crustaceans**, slightly dissimilar **plants and** **particular** breeds of vegetables **and** fruit; **and** cohorts of geographers, missionaries, entomologists, Church Fathers, men of letters, generals, Gods & Demons **had** been swept by his hand into eternal obscurity.

Generate | Load Random Text | Save | Print | Reset

You forgot fish and crustaceans, the other plants and particular varieties.
You don't recall what your mind had.
Birds and thousands, species and hundreds - all disposed.

『自嘲者』の画面サンプル。上が小説からの抜粋。
下がそこから抽出した語彙で作られた三行詩

にはないものを見つけるためにこそ書きたい。書くことによって、自分の意識の外側へ出てゆきたい。人工知能を用いて詩を書くことで、僕は自分から解放されると感じるのです」

この発言はエランという詩人の本質を示していると思う。僕の言葉で言うならば、彼は典型的な「ノンセルフ」の詩人なのだ。彼は自分に飽き飽きしている。自意識という牢獄から逃げ出すことを夢見ている。そして詩を書く・書かせるという行為を、その手段と見なしている。

このことは、彼が人間に対して無関心であるというのではない。むしろ興味津々なのだ。自分に対して飽きることのできる自分という、重層的な構造をした意識という小宇宙に。

エランと話していると、話題は限りなく人工知能のハードウェアから離れ、詩の作り方へと近づいてゆく。

例えば「人工知能で詩を書く場合、『推敲』というプロセスはどう捉えられるの?」という問いに対して、「推敲という行為は、『キュレーション・ソフト』で実行する。この『キュレーションソフト』は否定形だけで出来ているんだ。つまりこれはだめっていう判断を下すだけで、こう書き直すべきだという指示は出さないんだね。それはあくまでも『テキスト・ジェネレーター』のタスクであって、このふたつのアルゴリズムが互いに凌ぎ合うという形で推敲がなされてゆくんだよ」

僕はびっくりする。まさに僕自身が推敲する際のプロセスがそうだからだ。そして以前書いた「推敲者」という詩の「そのひとは何も云わない/ただ眉を曇らせ/困ったような表情を浮かべながら/かすかに首を横に振るだけ」という一節を紹介すると、彼は優しい(どこか同病相憐れむという風でもある)笑みを浮かべて、深く頷いてみせるのだった。

彼はまた、人工知能詩の本質は、コンピューターでも知能でもなく、制約のなかで書くことにあるという。

「たとえば百人の人間をマトリックスの形に座らせて、いくつかの約束事に従って言葉を発して貰い、それを編集することで一篇の詩を書くみたいなことだって、僕にとっては人工知能詩のバリエーションなんだよ」

「それって、ほとんど連歌の世界じゃないか」と僕は云う。それから、ひとりで「いろは歌」を量産したときに不思議な夢遊感覚に襲われた体験を打ち明けて、「日本語は膠着性が高いから、無理な組み合わせの言葉でも、撫でたりさすったりしているうちに、どこからともなく詩的な意味合いが滲み出てくるんだ」と言うと、エランは、「ああ、僕は日本に生まれるべきだった」と呻くような声をだすのだった。

今から三十年ほど前に僕は「電子少年トロンは語る」という詩を書いたのだが、エランというひとりの人間を通して、ようやくそのトロンと出会ったように思えてならない。

ここに発表した以外にも、彼は人工知能に人間の顔を読み取らせ、それを野菜を使って表現し、さらにそのイメージを言語化することによって詩を作るといった、多彩な活動を行っている。下記のホームページを参照されたい。http://eranhadas.com/english/

あとがき

真っ暗な海中で交信しあうクジラの群れ。鋭く啼いて迫り来る危険を仲間に知らせる樹上のサル。バナナの描かれたカードを指差す実験室のチンパンジー。お手するポチ。愛を求めて歌を奏でる秋のコオロギ、春の鶯、初夏の蛙たち。

これらはみな広い意味での言語的コミュニケーションと呼べるだろう。だが言語を用いて詩を作るのは私たちホモサピエンスだけだ。この星に生きとし生きる生命のなかで、(今のところは)現生人類だけが、言語を単なる指示記号としてではなく、暗喩や換喩を作り出す象徴装置として使いこなすことができる。手に取ることも指差すこともできないものや、曰く言い難いことを、あえて言葉によって表現するという、矛盾に満ちた営為に取り憑かれている。なぜなら私たちの意識そのものが、分析的な論理と統合的な直観の交差する地点に現象しているからだ。そしてまさにその点において、国や文化や人種や言語の違いを超えて、私たちはホモサピエンスという同じ穴の狢なのである。

ユングは夢や神話の分析を通して、個人の経験を超越した「集合的無意識」の存在へと辿り着いた。チョムスキーは「生成文法理論」によって全人類に共通する普遍的な言語構造を発見した。最近では、遺伝子解析によって人類の発生がアフリカの一点に遡ることが証明されたという。だが私たちが詩的な想像力によってひとつの種をなしているということを実感するには、なによりもそんな私たちによって書かれた古今東西の詩を読んでみるのが早道だろう。この星のどこへ行こうと、そこに人間がいる限り、詩のない場所はないのだから。

＊

本書に収めたのは、季刊誌「びーぐる　詩の海へ」に創刊以来十年に亘ってほぼ毎回連載してきた「海外現代詩紹介」シリーズの一部である（唯一の例外は、「現代詩手帖」二〇一三年八月号に掲載したデニス・オドリスコルの章）。南はブラジル、アルゼンチンから、北はアイルランド、リトアニアまで二十二カ国三十二人の詩人を選んだ。いずれも私が詩祭などで直接会ったことのある詩人たちで、（原作が英語の場合以外は）英訳を仲立ちとして、本人か本人の信頼する英訳者（ポーランド語で書かれたウルシュラ・コジオウとアダム・ザガイェフスキの詩の場合は、日本語翻訳者であるつかだみちこさん）との共同作業を通じて日本語に訳したものである。数人の詩人たちが一堂に会して互いの作品を自国語に翻訳しあうワークショップの産物であるものも少なくない。

つまり「古今東西」のうちの「東西」、共時性の部分に焦点をあてたのが本書だと言えるが、主題も手法もスタイルも実に多種多様である。「詩」というものの捉え方自体にも、相当幅の開きがある様子だ。にも拘らず、これらの作品を一望するとき、私には字面の向こうから「ホモサピエンスの詩」としか呼びようのない、ひとつの大きなハーモニーが聴こえてくる。あなたの耳にも、その響きの一端が届いてくれるだろうか。

本書の刊行に際して、作品の再録に快く承諾してくれた詩人たち、前述のつかだみちこさん、そして澪標の松村信人さんと編集の山田聖士さんに深く感謝します。とりわけ聖士さんは、ここに収めたものの倍近い分量の原稿から出発して、版型や活字の組み方を試行錯誤しながら、最終的な内容まで練り上げてゆく厄介な過程に根気よく付き合ってくださった。二人三脚で紙上の詩祭を準備してきた思いである。いよいよ幕開けですね。お疲れ様、重ねてありがとうございました。

初出一覧

1　レムコ・カムペルト　「びーぐる　詩の海へ」創刊号　2008年10月
2　フィリップ・メアズマン　同右　第2号　2009年1月
3　ジョージ・スツィルテス　同右　第3号　2009年4月「第一回びーぐる船上詩祭」より
4　ゴクチェナー・セレビオウグル　同右
5　ヴィタウタス・デクスニス　同右
6　ミリアム・ヴァン・ヘー　同右
7　クラウディウ・コマルティン　同右
8　ウルシュラ・コジオウ　同右
9　ヴァルター・ヒューゴー・メー　同右
10　アギ・ミショール　同右
11　イオアン・エス・ポップ　同右
12　フィオナ・サンプソン　同右
13　スーザン・ウィックス　同右
14　アダム・ザガイェフスキ　同右
15　サラ・ウィンゲート・グレイ　同右

16　ニコラ・マジロフ　同右　第6号　2010年1月
17　ヴェロニカ・ディンティニャーナ　同右　第9号　2010年10月
18　スタニスラフ・ルフォスキー　同右　第10号　2011年1月
19　ヨランダ・カスターニョ　同右　第11号　2011年4月
20　マイケル・ブレナン　同右　第18号　2013年1月
21　現代中国的詩人たち　同右　第20号　2013年7月
22　カレン・ソリー　同右　第21号　2013年10月
23　カリンナ・A・グリアス　同右　第22号　2014年1月
24　ナタリア・リトヴィノヴァ　同右　第26号　2015年1月
25　デニス・オドリスコル　「現代詩手帖」2013年8月号「僚友デニス・オドリスコルを悼む」
26　ドン・ミー・チョイ　「ぴーぐる　詩の海へ」第28号　2015年7月
27　ジョセフ・M・ロドリゲス　同右　第30号　2016年1月
28　エスティバリツ・エスピノザ　同右　第31号　2016年4月
29　エメル・カヤ　同右　第39号　2018年4月
30　マリー・ド・クアトロバルブ　同右　第41号　2018年10月
31　エラン・ハデス　同右　第42号　2019年1月

著者略歴

四元康祐（よつもと・やすひろ）

1959年大阪府生まれ。82年上智大学文学部英文学科卒業。
86年アメリカに移住。90年ペンシルベニア大学経営学修士号取得。
91年第一詩集『笑うバグ』を刊行。94年ドイツに移住。
『世界中年会議』で第3回山本健吉賞・第5回駿河梅花文学賞、
『噤みの午後』で第11回萩原朔太郎賞、
『日本語の虜囚』で第4回鮎川信夫賞を受賞。
他の著作に、詩集『妻の右舷』『言語ジャック』『現代ニッポン詩（うた）日記』、
『単調にぼたぼたと、がさつで粗暴に』、評論『詩人たちよ！』『谷川俊太郎学』、
小説『偽詩人の世にも奇妙な栄光』『前立腺歌日記』など。
ミュンヘンを拠点に世界各地の詩祭に参加している。

ホモサピエンス詩集
――四元康祐翻訳集現代詩篇

二〇二〇年三月十日発行

著　者　四元康祐
発行者　松村信人
発行所　澪　標（みおつくし）
大阪市中央区内平野町二・三・十一・二〇二
TEL　〇六・六九四四・〇八六九
FAX　〇六・六九四四・〇六〇〇
振替　〇〇九七〇・三・七二五〇六
印刷製本　亜細亜印刷株式会社
DTP　山響堂pro.